Ödön von Horváth
Kasimir und Karoline

Volksstück

Mit einem Kommentar
von Dieter Wöhrle

Suhrkamp

Das vorliegende Bühnenstück folgt der Ausgabe: Ödön von Horváth, *Kasimir und Karoline*, in: Ödön von Horváth, *Gesammelte Werke. Kommentierte Werkausgabe in Einzelbänden.* Herausgegeben von Traugott Krischke unter Mitarbeit von Susanna Foral-Krischke, Band 5. Frankfurt am Main: Suhrkamp Verlag 1986 (= suhrkamp taschenbuch 2371), S. 67–138. Der Anhang folgt der Ausgabe: Ödön von Horváth, *Gesammelte Werke.* Herausgegeben von Traugott Krischke unter Mitarbeit von Susanna Foral-Krischke, Band 4: *Prosa und Verse 1918–1938.* Frankfurt am Main: Suhrkamp Verlag 1988, S. 857–863.

Originalausgabe
Suhrkamp BasisBibliothek 28
Erste Auflage 2002

Satz: pagina GmbH, Tübingen
Druck: Ebner Ulm
Umschlaggestaltung: Hermann Michels
Printed in Germany

1 2 3 4 5 6 – 07 06 05 04 03 02

Inhalt

Kasimir und Karoline
⌜*Volksstück*⌝

⌜*Motto*⌝:
⌜Und die Liebe höret nimmer auf.⌝

Personen: ⌜Kasimir⌝ · Karoline · Rauch · Speer · Der Ausrufer · Der Liliputaner · Schürzinger · Der Merkl Franz · Dem Merkl Franz seine Erna · Elli · Maria · Der Mann mit dem Bulldoggkopf · Juanita · Die dicke Dame · Die Kellnerin · Der Sanitäter · Der Arzt · Abnormitäten und Oktoberfestleute

Dieses Volksstück spielt auf dem ⌜Münchener Oktoberfest⌝, und zwar ⌜in unserer Zeit⌝.

1. Szene

Es wird dunkel im Zuschauerraum und ⌐*das Orchester
spielt*⌐ *die münchener Hymne* ⌐*»Solang der alte Peter«*⌐.
Hierauf hebt sich der Vorhang.

2. Szene

⌐*Schauplatz*⌐:
Gleich hinter dem Dorf der ⌐*Lippennegerinnen*⌐.
Links ein Eismann mit türkischem Honig und Luftballons.
⌐*Rechts ein Haut-den-Lukas – – (das ist so ein altherge-
brachter Kraftmesser, wo Du unten mit einem Holzbeil auf
einen Bolzen draufhaust, und dann saust ein anderer Bolzen an einer Stange in die Höhe, und wenn dann dieser
andere Bolzen die Spitze der Stange erreicht, dann knallt es
und dann wirst Du dekoriert, und zwar für jeden Knall mit
einem Orden).*⌐
*Es ist bereits spät am Nachmittag und jetzt fliegt gerade der
*⌐*Zeppelin*⌐ *in einer ganz geringen Höhe über die
*⌐*Oktoberfestwiese*⌐ *– – in der Ferne* ⌐*Geheul mit allgemeinem Musiktusch und Trommelwirbel*⌐.

3. Szene

RAUCII Bravo Zeppelin! Bravo ⌐Eckener⌐! Bravo!
EIN AUSRUFER ⌐Heil⌐!
SPEER Majestätisch. Hipp hipp hurra!
   Pause.
⌐EIN LILIPUTANER⌐ Wenn man bedenkt, wie weit es wir
   Menschen schon gebracht haben – – *Er winkt mit sei-
   nem Taschentuch.*
   Pause.

KAROLINE ⌈Jetzt ist er gleich verschwunden, der Zeppelin – –

DER LILIPUTANER Am Horizont.

KAROLINE Ich kann ihn kaum mehr sehen – –

DER LILIPUTANER Ich seh ihn noch ganz scharf.

KAROLINE Jetzt seh ich nichts mehr.⌉ *Sie erblickt Kasimir; lächelt.* Du, Kasimir. Jetzt werden wir bald alle fliegen.

KASIMIR Geh ⌈so lasse mich doch aus⌉. *Er wendet sich dem Lukas zu und haut ihn vor einem stumm interessierten Publikum – – aber erst beim drittenmal knallt es und dann zahlt der Kasimir und wird mit einem Orden dekoriert.*

KAROLINE Ich gratuliere.

KASIMIR Zu was denn?

KAROLINE Zu deiner Auszeichnung da.

KASIMIR Danke.

⌈*Stille.*⌉

KAROLINE Der Zeppelin, der fliegt jetzt nach ⌈Oberammergau⌉, aber dann kommt er wieder zurück und wird einige Schleifen über uns beschreiben.

KASIMIR Das ist mir wurscht! Da fliegen droben zwanzig Wirtschaftskapitäne und herunten verhungern derweil einige Millionen! Ich scheiß dir was auf den ⌈Zeppelin⌉, ich kenne diesen Schwindel und hab mich damit auseinandergesetzt – – Der Zeppelin, verstehst du mich, das ist ein Luftschiff und wenn einer von uns dieses Luftschiff sieht, dann hat er so ein Gefühl, ⌈als tät er auch mitfliegen⌉ – – derweil haben wir bloß die schiefen Absätze und das Maul können wir uns an das Tischeck hinhaun*!

(süddt. Redewendung) verhungern

KAROLINE Wenn du so traurig bist, dann werd ich auch traurig.

KASIMIR Ich bin kein trauriger Mensch.

KAROLINE Doch. Du bist ein Pessimist.

KASIMIR Das schon. Ein jeder intelligente Mensch ist ein Pessimist. *Er läßt sie wieder stehen und haut abermals*

Kasimir und Karoline

den Lukas; jetzt knallt es dreimal, er zahlt und bekommt
drei Orden; dann nähert er sich wieder Karoline. Du
kannst natürlich leicht lachen. Ich habe es dir doch
gleich gesagt, daß ich heut unter gar keinen Umständen
auf dein Oktoberfest geh. Gestern abgebaut* und mor- entlassen
gen ⌜stempeln⌝, aber heut sich amüsieren, vielleicht sogar noch mit lachendem Gesicht!

KAROLINE Ich habe ja gar nicht gelacht.

KASIMIR Natürlich hast du gelacht. Und das darfst du ja
auch – – du verdienst ja noch was und lebst bei deinen
Eltern, die wo pensionsberechtigt sind. Aber ich habe
keine Eltern mehr und steh allein in der Welt, ganz und
gar allein.

Stille.

KAROLINE ⌜Vielleicht sind wir zu schwer füreinander – –⌝

KASIMIR Wie meinst du das jetzt?

KAROLINE Weil du halt ein Pessimist bist und ich neige
auch zur Melancholie – – – – Schau, zum Beispiel zuvor
– – beim Zeppelin – –

KASIMIR Geh halt doch dein Maul mit dem Zeppelin!

KAROLINE Du sollst mich nicht immer so anschreien, das
hab ich mir nicht verdient um dich!

KASIMIR Habe mich gerne! *Ab.*

4. Szene

KAROLINE *sieht ihm nach; wendet sich dann langsam dem*
⌜*Eismann*⌝ *zu, kauft sich eine Portion und schleckt daran*
gedankenvoll.

⌜SCHÜRZINGER⌝ *schleckt bereits die zweite Portion.*

KAROLINE Was schauns mich denn so blöd an?

SCHÜRZINGER Pardon! Ich habe an etwas ganz anderes
gedacht.

KAROLINE Drum.

Stille.

SCHÜRZINGER Ich habe gerade an den Zeppelin gedacht.

Stille.

KAROLINE Der Zeppelin, der fliegt jetzt nach Oberammergau.

SCHÜRZINGER Waren das Fräulein schon einmal in Oberammergau?

KAROLINE Schon dreimal.

SCHÜRZINGER Respekt!

Stille.

KAROLINE Aber die Oberammergauer sind auch keine Heiligen. Die Menschen sind halt überall schlechte Menschen.

SCHÜRZINGER Das darf man nicht sagen, Fräulein! Die Menschen sind weder gut noch böse. Allerdings werden sie durch unser heutiges wirtschaftliches System gezwungen, egoistischer zu sein, als sie es eigentlich wären, da sie doch schließlich vegetieren* müssen. Verstehens mich?

KAROLINE Nein.

SCHÜRZINGER Sie werden mich schon gleich verstehen. Nehmen wir an, Sie lieben einen Mann. Und nehmen wir weiter an, dieser Mann wird nun arbeitslos. Dann läßt die Liebe nach, und zwar automatisch.

KAROLINE Also das glaub ich nicht!

SCHÜRZINGER Bestimmt!

KAROLINE Oh nein! Wenn es dem Manne schlecht geht, dann hängt das wertvolle Weib nur noch intensiver an ihm – – könnt ich mir schon vorstellen.

SCHÜRZINGER Ich nicht.

Stille.

KAROLINE Können Sie handlesen?

SCHÜRZINGER Nein.

KAROLINE Was sind denn der Herr eigentlich von Beruf?

SCHÜRZINGER Raten Sie doch mal.

Margin notes: Bildungs-jargon · kümmerlich dahinleben

KAROLINE Feinmechaniker?

SCHÜRZINGER Nein. Zuschneider.

KAROLINE Also das hätt ich jetzt nicht gedacht!

SCHÜRZINGER Und warum denn nicht?

KAROLINE Weil ich die Zuschneider nicht mag. Alle Zuschneider ⌈bilden sich gleich soviel ein⌉.
Stille.

SCHÜRZINGER Bei mir ist das eine Ausnahme. Ich hab
mich mal mit dem ⌈Schicksalsproblem⌉ beschäftigt.

KAROLINE Essen Sie auch gern Eis?

SCHÜRZINGER Meine einzige Leidenschaft, wie man so zu
sagen pflegt.

KAROLINE Die einzige?

SCHÜRZINGER Ja.

KAROLINE Schad!

SCHÜRZINGER Wieso?

KAROLINE Ich meine, da fehlt Ihnen doch dann was.

5. Szene

KASIMIR *erscheint wieder und winkt Karoline zu sich heran.*

KAROLINE *folgt ihm.*

KASIMIR Wer ist denn das, mit dem du dort sprichst?

KAROLINE Ein Bekannter von mir.

KASIMIR Seit wann denn?

KAROLINE Schon seit lang. Wir haben uns gerade aus-
nahmsweise getroffen. Glaubst du mir denn das nicht?

KASIMIR Warum soll ich dir das nicht glauben?
Stille.

KAROLINE Was willst du?
Stille.

KASIMIR Wie hast du das zuvor gemeint, daß wir zwei zu
schwer füreinander sind?

KAROLINE *schweigt boshaft.*

KASIMIR Soll das eventuell heißen, daß wir zwei eventuell nicht zueinander passen?

KAROLINE Eventuell.

KASIMIR Also das soll dann eventuell heißen, daß wir uns eventuell trennen sollen – – und daß du mit solchen Gedanken spielst?

KAROLINE So frag mich doch jetzt nicht!

KASIMIR Und warum nicht, wenn man fragen darf?

KAROLINE Weil ich jetzt verärgert bin. Und in einer solchen Stimmung kann ich dir doch nichts Gescheites sagen!
Stille.

KASIMIR So. Hm. Also das wird dann schon so sein. So und nicht anders. Da gibt es keine Ausnahmen. Lächerlich.

KAROLINE Was redest du denn da?

KASIMIR Es ist schon so.

KAROLINE *fixiert ihn:* Wie?
Stille.

KASIMIR Oder ist das vielleicht nicht eigenartig, daß es dir gerade an jenem Tage auffällt, daß wir zwei eventuell nicht zueinander passen – – an jenem Tage, an welchem ich abgebaut worden bin?
Stille.

KAROLINE Ich versteh dich nicht, Kasimir.

KASIMIR Denk nur nach. Denk nur nach, Fräulein!
Stille.

KAROLINE *plötzlich:* Oh du undankbarer Mensch! Hab ich nicht immer zu dir gehalten? Weißt es denn nicht, was das für Schwierigkeiten gegeben hat mit meinen Eltern, weil ich ⌈keinen Beamten genommen hab⌉ und nicht von dir gelassen hab und immer deine Partei ergriffen hab?!

KASIMIR Reg dich nur ab, Fräulein! Überleg es dir lieber, was du mir angetan hast.

KAROLINE Und was tust du mir an?

KASIMIR Ich konstatiere* eine Wahrheit. So. Und jetzt laß   _{stelle fest}
ich dich stehn – – *Ab.*

6. Szene

KAROLINE *sieht ihm nach; wendet sich dann wieder dem*
Schürzinger zu; jetzt dämmert es bereits.

SCHÜRZINGER Wer war denn dieser Herr?

KAROLINE Mein Bräutigam.

SCHÜRZINGER Sie haben einen Bräutigam?

KAROLINE Er hat mich gerade sehr gekränkt. Nämlich gestern ist er abgebaut worden und da hat er jetzt behauptet, ich würde mich von ihm trennen wollen, weil er
abgebaut worden ist.

SCHÜRZINGER Das alte Lied.

KAROLINE Geh reden wir von etwas anderem!
Stille.

SCHÜRZINGER Er steht dort drüben und beobachtet uns.

KAROLINE Ich möcht jetzt mal mit der ⌐Achterbahn⌐ fahren.

SCHÜRZINGER Das ist ein teurer Spaß.

KAROLINE ⌐Aber jetzt bin ich auf dem Oktoberfest⌐ und
ich hab es mir vorgenommen. Geh fahrens halt mit!

SCHÜRZINGER Aber nur einmal.

KAROLINE Also das steht bei Ihnen.
Dunkel.

7. Szene

Das Orchester spielt nun die ⌐Glühwürmchen-Suite⌐.

8. Szene

Neuer Schauplatz:
Neben der Achterbahn, dort wo die Oktoberfestwiese auf-
hört.
Die Stelle liegt etwas abseits und ist nicht gut beleuchtet.
Nämlich es ist bereits Nacht geworden, aber in der Ferne
ist alles illuminiert. Karoline und Schürzinger kommen
und hören das Sausen der Achterbahn und das selige Krei-
schen der Fahrgäste.

9. Szene

KAROLINE Ja das ist die richtige Achterbahn. Es gibt nämlich noch eine, aber mit der ist man bald fertig. Dort ist
die Kasse. Jetzt ist mir etwas gerissen.

SCHÜRZINGER Was?

KAROLINE Ich weiß noch nicht was. Geh drehens Ihnen
um bitte.

Stille.

SCHÜRZINGER *hat sich umgedreht:* Er folgt uns noch immer, Ihr Herr Bräutigam. Jetzt spricht er sogar mit einem Herrn und einer Dame – – sie lassen uns nicht aus
den Augen.

KAROLINE Wo? – – – – Das ist doch jetzt der Merkl Franz
und seine Erna. Ja den kenn ich. Nämlich das ist ein
ehemaliger Kollege von meinem Kasimir. Aber der ist
auf die schiefe Ebene geraten. Wie oft daß der schon
gesessen ist.

SCHÜRZINGER ⌈Die Kleinen hängt man und die Großen
läßt man laufen.⌉

KAROLINE Das schon. Aber der Merkl Franz prügelt seine
Erna, obgleich sie ihm pariert*. Und ein schwaches Weib
schlagen, das ist doch wohl schon das allerletzte.

gehorcht

SCHÜRZINGER Bestimmt.

KAROLINE Der Kasimir ist ja auch sehr jähzornig von Natur aus, aber angerührt hat er mich noch nie.

SCHÜRZINGER Hoffentlich macht er uns hier keinen Skandal.

KAROLINE Nein das macht er nie in der Öffentlichkeit. Dazu ist er viel zu beherrscht. Schon von seinem Beruf her.

SCHÜRZINGER Was ist er denn?

KAROLINE *hat sich nun repariert*: Kraftwagenführer. Chauffeur.

SCHÜRZINGER Jähzornige Leute sind aber meistens gutmütig.

KAROLINE Haben Sie Angst?

SCHÜRZINGER Wie kommen Sie darauf? *Stille.*

KAROLINE Ich möchte jetzt mit der Achterbahn fahren. *Ab mit dem Schürzinger und nun ist einige Zeit kein Mensch zu sehen.*

10. Szene

KASIMIR *kommt langsam mit dem Merkl Franz und dem seiner Erna.*

DER MERKL FRANZ Parlez-vous française?*

KASIMIR Nein.

DER MERKL FRANZ Schade.

KASIMIR Wieso?

DER MERKL FRANZ Weil sich das deutsch nicht so sagen läßt. Ein Zitat. In puncto Achterbahn und Karoline – – *Zu Erna.* Wenn du mir so was antun würdest, ich tät dir ja das Kreuz abschlagen.

ERNA So sei doch nicht so ungerecht.

(franz.; eigentl. Parlez-vous français?) Sprechen Sie französisch?

11. Szene

KAROLINE *kreischt nun droben auf der abwärtssausenden Achterbahn.*

KASIMIR *starrt empor:* Fahre wohl, Fräulein Karoline! Daß dir nur nichts passiert. Daß du dir nur ja nicht das Genick verrenkst. Das wünscht dir jetzt dein Kasimir.

DER MERKL FRANZ Habe nur keine Angst. Wir sind zu zweit.

KASIMIR Ich bin nicht zu zweit! Ich mag nicht zu zweit sein! Ich bin allein.

Stille.

DER MERKL FRANZ Ich hätt ja einen plausibleren Vorschlag: laß doch diesen Kavalier überhaupt laufen – – er kann doch nichts dafür, daß jetzt die deine mit ihm da droben durch die Weltgeschichte rodelt. Du hast dich doch nur mit ihr auseinanderzusetzen. Wie sie auf der Bildfläche erscheint, zerreiß ihr das Maul.

KASIMIR Das ist eine Ansichtssache.

DER MERKL FRANZ Natürlich.

Stille.

KASIMIR Ich bin aber nicht der Ansicht.

DER MERKL FRANZ Du bist halt ein naiver Mensch.

KASIMIR Wahrscheinlich.

Stille.

DER MERKL FRANZ ⌈Was ist das Weib?⌉ Kennst den Witz, wo die Tochter mit dem leiblichen Vater und dem Bruder – –

ERNA *unterbricht ihn:* Du sollst nicht immer so wegwerfend über uns Frauen reden!

Stille.

DER MERKL FRANZ Ja wie hätten wir es denn?

ERNA Ich bin doch zu guter Letzt auch eine Frau!

DER MERKL FRANZ Also werd mir nur nicht nervös. Da. Halt mal meine Handschuhe. Jetzt möchte er sich nur etwas holen, dort drüben, für das Gemüt – – *Ab; in der Ferne ertönt nun ein Waldhorn, und zwar wehmütig.*

12. Szene

ERNA Herr Kasimir. Da schauns mal hinauf. Das ist der Große Bär.

KASIMIR Wo?

ERNA Dort. Und das dort ist der ⌐Orion. Mit dem Schwert.⌐

KASIMIR Woher wissen Sie denn all das?

ERNA Das hat mir mal mein Herr erklärt, wie ich noch gedient hab – – der ist ein Professor gewesen. Wissens, wenns mir schlecht geht, dann denk ich mir immer, was ist ⌐ein Mensch neben einem Stern⌐. Und das gibt mir dann wieder einen Halt.

13. Szene

SCHÜRZINGER *erscheint und das Waldhorn verstummt.*

KASIMIR *erkennt ihn.*

SCHÜRZINGER *grüßt.*

KASIMIR *grüßt auch, und zwar unwillkürlich.*

SCHÜRZINGER Ihr Fräulein Braut fahren noch.

KASIMIR *fixiert ihn grimmig:* Das freut mich.

14. Szene

DER MERKL FRANZ *erscheint nun auch wieder; er hatte sich drüben zwei Paar Schweinswürstel gekauft und verzehrt nun selbe mit Appetit.*

SCHÜRZINGER Ich bin nur einmal mitgefahren. Ihr Fräulein Braut wollte aber noch einmal.

KASIMIR Noch einmal.

SCHÜRZINGER Bestimmt.

Stille.

KASIMIR Bestimmt. Alsdann: Der Herr sind doch ein alter Bekannter von meiner Fräulein Braut?

SCHÜRZINGER Wieso?

KASIMIR Was wieso?

SCHÜRZINGER Nein das muß ein Irrtum sein. Ich kenne Ihr Fräulein Braut erst seit zuvor dort bei dem Eismann – – da sind wir so unwillkürlich ins Gespräch gekommen.

KASIMIR Unwillkürlich – –

SCHÜRZINGER Absolut.

KASIMIR Das auch noch.

SCHÜRZINGER Warum?

KASIMIR Weil das sehr eigenartig ist. Nämlich mein Fräulein Braut sagte mir zuvor, daß sie Ihnen schon seit langem kennt. Schon seit lang, sagte sie.

DER MERKL FRANZ Peinsam.

Stille.

SCHÜRZINGER Das tut mir aber leid.

KASIMIR Also stimmt das jetzt oder stimmt das jetzt nicht? Ich möchte nämlich da klar sehen. Von Mann zu Mann.

Stille.

SCHÜRZINGER Nein. Es stimmt nicht.

KASIMIR Ehrenwort?

SCHÜRZINGER Ehrenwort.

KASIMIR Ich danke.

Stille.

DER MERKL FRANZ In diesem Sinne kommst du auf keinen grünen Zweig nicht, lieber guter alter Freund. Hau ihm doch eine aufs Maul – –

KASIMIR Mische dich bitte da nicht hinein!

DER MERKL FRANZ Huste mich nicht so schwach an! Du Nasenbohrer.

KASIMIR Ich bin kein Nasenbohrer!

DER MERKL FRANZ Du wirst es ja schon noch erleben, wo du landen wirst mit derartig nachsichtigen Methoden! Ich seh dich ja schon einen Kniefall machen vor dem offiziellen Hausfreund deiner eignen Braut! Küsse nur die Spur ihres Trittes – – du wirst ihr auch noch die Schleppe tragen und dich mit einer besonderen Wonne unter ihre Schweißfüße beugen, du Masochist!

KASIMIR Ich bin kein ⌜Masochist⌝! Ich bin ⌜ein anständiger Mensch⌝!

Stille.

DER MERKL FRANZ Das ist der Dank. Man will dir helfen und du wirst anzüglich. Stehen lassen sollte ich dich da wo du stehst!

ERNA Komm Franz!

DER MERKL FRANZ *kneift sie in den Arm.*

ERNA Au! Au – –

DER MERKL FRANZ Und wenn du dich noch so sehr windest! Ich bleibe, solange ich Lust dazu habe – in einer solchen Situation darf man seinen Freund nicht allein lassen.

16. Szene

KAROLINE *erscheint.*
Stille.

KASIMIR *nähert sich langsam Karoline und hält dicht vor ihr:* Ich habe dich zuvor gefragt, wie du das verstanden haben willst, daß wir zwei eventuell nicht mehr zueinander passen. Und du hast gesagt: eventuell. Hast du gesagt.

KAROLINE Und du hast gesagt, daß ich dich verlasse, weil du abgebaut worden bist. Das ist eine ganz tiefe Beleidigung. Eine wertvolle Frau hängt höchstens noch mehr an dem Manne, zu dem sie gehört, wenn es diesem Manne schlecht geht.

KASIMIR Bist du eine wertvolle Frau?

KAROLINE Das mußt du selber wissen.

KASIMIR Und du hängst jetzt noch mehr an mir?

KAROLINE *schweigt.*

KASIMIR Du sollst mir jetzt eine Antwort geben.

KAROLINE Ich kann dir darauf keine Antwort geben. Das mußt du fühlen.

Stille.

KASIMIR Warum lügst du?

KAROLINE Ich lüge nicht.

KASIMIR Doch. Und zwar ganz ohne Schamgefühl.

Stille.

KAROLINE Wann soll denn das gewesen sein?

KASIMIR Zuvor. Da hast du gesagt, daß du diesen Herrn dort schon lange kennst. Seit schon lang, hast du gesagt. Und derweil ist das doch nur so eine Oktoberfestbekanntschaft. Warum hast du mich angelogen?

Stille.

KAROLINE Ich war halt sehr verärgert.

KASIMIR Das ist noch kein Grund.

KAROLINE Bei einer Frau vielleicht schon.

KASIMIR Nein.

Stille.

KAROLINE Eigentlich wollte ich ja nur ein Eis essen – –
aber dann haben wir über den Zeppelin gesprochen. Du
bist doch sonst nicht so kleinlich.

KASIMIR Das kann ich jetzt nicht so einfach überwinden.

KAROLINE Ich habe doch nur mit der Achterbahn fahren
wollen.

Stille.

KASIMIR Wenn du gesagt hättest: lieber Kasimir, ich
möchte gerne mit der Achterbahn fahren, weil ich das so
gerne möchte – – dann hätte der Kasimir gesagt: fahre zu
mit deiner Achterbahn!

KAROLINE So stell dich doch nicht so edel hin!

KASIMIR Schleim dich nur ruhig aus. Wer ist denn das
eigentlich?

KAROLINE Das ist ein gebildeter Mensch*. Ein Zuschneider.

Vgl. Erl. zu
13,6

Stille.

KASIMIR Du meinst also, daß ein Zuschneider etwas Ge-
bildeteres ist wie ein ehrlicher Chauffeur?

KAROLINE Geh verdrehe doch nicht immer die Tatsachen.

KASIMIR Das überlasse ich dir! Ich konstatiere, daß du
mich angelogen hast und zwar ganz ohne Grund! So
schwing dich doch mit deinem gebildeten Herrn Zuschneider! Das sind freilich die feineren Kavaliere als
wie so ein armer Hund, der wo gestern abgebaut worden ist!

KAROLINE Und nur weil du abgebaut worden bist, soll ich
jetzt vielleicht weinen? Gönnst einem schon gar kein
Vergnügen, du Egoist.

KASIMIR Seit wann bin ich denn ein Egoist? Jetzt muß ich
aber direkt lachen! Hier dreht es sich doch nicht um
deine Achterbahn, sondern um dein unqualifizierbares
Benehmen, indem daß du mich angelogen hast!

SCHÜRZINGER Pardon – –

DER MERKL FRANZ *unterbricht ihn:* Jetzt halt aber endlich

dein Maul und schau daß du dich verrollst! Fahr ab sag
ich!

KASIMIR Laß ihn laufen, Merkl! Die zwei passen prima
zusammen! *Zu Karoline.* Du Zuschneidermensch*!
Stille.

KAROLINE Was hast du da jetzt gesagt?

DER MERKL FRANZ Er hat jetzt da gesagt: Zuschneidermensch. Oder Nutte, wie der Berliner sagt.

SCHÜRZINGER Kommen Sie, Fräulein!

KAROLINE Ja. Jetzt komme ich – – *Ab mit dem Schürzinger.*

*»Das Mensch«
gilt im Süddt.
als Schimpf-
wort für eine
Frau.*

18. Szene

DER MERKL FRANZ *sieht ihnen nach:* Glückliche Reise!

KASIMIR Zu zweit.

DER MERKL FRANZ Weiber gibts wie Mist! *Zu Erna.* Wie
Mist.

ERNA Sei doch nicht so ordinär. Was hab ich denn dir
getan?

DER MERKL FRANZ Du bist eben auch nur ein Weib. So und
jetzt kauft sich der Merkl Franz eine Tasse Bier. Von
wegen der lieblicheren Gedanken. Kasimir, geh mit!

KASIMIR Nein. Ich geh jetzt nachhaus und leg mich ins
Bett.
Ab.

19. Szene

DER MERKL FRANZ *ruft ihm nach:* Gute Nacht!
Dunkel.

24   Kasimir und Karoline

20. Szene

Das Orchester spielt nun die Parade der Zinnsoldaten*.

Komposition
von Leon
Jessel (1871–
1942)

21. Szene

Neuer Schauplatz:
Beim ⌜Toboggan⌝.
Am Ende der Rinne, in welcher die Tobogganbesucher am Hintern herunterrutschen. Wenn dabei die zuschauenden Herren Glück haben, dann können sie den herunterrutschenden Damen unter die Röcke sehen. Auch Rauch und Speer sehen zu.
Links ein Eismann mit türkischem Honig und Luftballons. Rechts eine Hühnerbraterei, die aber wenig frequentiert wird, weil ⌜alles viel zu teuer ist⌝. Jetzt rutschen gerade Elli und Maria in der Rinne herunter und man kann ihnen unter die Röcke sehen. Und die Luft ist voll Wiesenmusik.

22. Szene

RAUCH *zwinkert Elli und Maria zu, die wo sich mit ihren Büstenhaltern beschäftigen, welche sich durch das Herabrutschen verschoben haben.*
ELLI Ist das aber ein alter Hirsch.
MARIA Reichlich.
ELLI Ein Saubär ein ganz bremsiger*.

(bayr.) scharfer
Saukerl

MARIA Ich glaub, daß der andere ein Norddeutscher ist.
ELLI Wieso weswegen?
MARIA Das kenn ich am Hut. Und an die Schuh.
RAUCH *grinst noch immer.*
ELLI *blickt ihn freundlich an – – aber so, daß er es nicht hören kann:* Schnallentreiber* dreckiger.

(bayr.)
Zuhälter

RAUCH *grüßt geschmeichelt.*
ELLI *wie zuvor:* Guten Abend, Herr Nachttopf!
RAUCH *läuft das Wasser im Munde zusammen.*
ELLI *wie zuvor:* Das tät dir so passen, altes Scheißhaus – –
Denk lieber ans Sterben als wie an das Gegenteil!
Fröhlich lachend ab mit Maria.

23. Szene

RAUCH Geht los wie ⌈Blücher⌉!
SPEER Zwei hübsche ⌈Todsünden⌉ – – was?
RAUCH Trotz Krise und Politik – – mein altes Oktoberfest,
das ⌈bringt mir kein Brüning um⌉. Hab ich übertrieben?
SPEER Gediegen. Sehr gediegen!
RAUCH Da sitzt doch noch ⌈der Dienstmann neben dem
Geheimrat, der Kaufmann neben dem Gewerbetreiben-
den, der Minister neben dem Arbeiter⌉ – – so lob ich mir
die Demokratie! *Er tritt mit Speer an die Hühnerbrate-
rei; die beiden Herren fressen nun ein zartes knuspriges
Huhn und saufen Kirsch und* ⌈*Wiesenbier*⌉.

24. Szene

KAROLINE *kommt mit dem Schürzinger; sie etwas voraus*
– – dann hält sie plötzlich und er natürlich auch: Muß
denn das sein, daß die Männer so mißtrauisch sind? Wo
man schon alles tut, was sie wollen.
SCHÜRZINGER Natürlich muß man sich als Mann immer
in der Hand haben. Sie dürfen mich nicht falsch verstehen.
KAROLINE Warum?
SCHÜRZINGER Ich meine, weil ich zuvor eine Lanze für
Ihren Herrn Bräutigam gebrochen habe. Er ist halt sehr

aufgebracht – – es ist das doch kein Kinderspiel so plötzlich auf der Straße zu liegen.

KAROLINE Das schon. Aber das ist doch noch kein Grund,
daß er sagt, daß ich eine Dirne bin. Man muß das immer
trennen, die allgemeine Krise und das Private.

SCHÜRZINGER Meiner Meinung nach sind aber diese beiden Komplexe unheilvoll miteinander verknüpft.

KAROLINE Geh redens doch nicht immer so geschwollen
daher! Ich kauf mir jetzt noch ein Eis. *Sie kauft sich bei
dem Eismann Eis und auch der Schürzinger schleckt
wieder eine Portion.*

25. Szene

RAUCH *deutet fressend auf Karoline:* Was das Mädchen
dort für einen netten Popo hat – –

SPEER Sehr nett.

RAUCH Ein Mädchen ohne Popo ist kein Mädchen.

SPEER Sehr richtig.

26. Szene

SCHÜRZINGER Ich meine ja nur, daß man sich so eine
Trennung genau überlegen muß mit allen ihren Konsequenzen.

KAROLINE Mit was denn für Konsequenzen? Ich bin doch
eine berufstätige Frau.

SCHÜRZINGER Aber ich meine ja doch jetzt das seelische
Moment.
Stille.

KAROLINE Ich bin nicht so veranlagt, daß ich mich beschimpfen lasse. Ich bin ja sogar blöd, daß ich mich der-
art mit Haut und Haar an den Herrn Kasimir ausgelie-

fert habe – – ich hätt doch schon zweimal einen Beamten heiraten können mit Pensionsberechtigung.

Stille.

SCHÜRZINGER Ich möchte es halt nur nicht gerne haben, daß das jetzt so herschaut, als wäre vielleicht ich an dieser Entfremdung zwischen ihm und Ihnen schuld – – Ich habe nämlich schon einmal Mann und Frau entzweit. Nie wieder!

KAROLINE Sie haben doch vorhin gesagt, daß wenn der Mann arbeitslos wird, daß dann hernach auch die Liebe von seiner Frau zu ihm hin nachläßt – – und zwar automatisch.

SCHÜRZINGER ⌐Das liegt in unserer Natur.⌐ Leider.

KAROLINE Wie heißen Sie denn eigentlich mit dem Vornamen?

SCHÜRZINGER Eugen.

KAROLINE Sie haben so ausgefallene Augen.

SCHÜRZINGER Das haben mir schon manche gesagt,

KAROLINE Bildens Ihnen nur nichts ein!

Stille.

SCHÜRZINGER Gefällt Ihnen Eugen als Vorname?

KAROLINE Unter Umständen.

Stille.

SCHÜRZINGER Ich bin ein einsamer Mensch, Fräulein. Sehen Sie, meine Mutter zum Beispiel, die ist seit der ⌐Inflation⌐ taub und auch nicht mehr ganz richtig im Kopf, weil sie alles verloren hat – – so habe ich jetzt keine Seele, mit der ich mich aussprechen kann.

KAROLINE Habens denn keine Geschwister?

SCHÜRZINGER Nein. Ich bin der einzige Sohn.

KAROLINE Jetzt kann ich aber kein Eis mehr essen. *Ab mit dem Schürzinger.*

27. Szene

SPEER Eine merkwürdige Jugend diese heutige Jugend.
Wir haben ja seinerzeit auch Sport getrieben, aber so
merkwürdig wenig Interesse für die Reize des geistigen
Lebens – –

RAUCH Eine eigentlich unsinnige Jugend.

SPEER *lächelt:* Es bleibt ihnen zwar manches erspart.

RAUCH Ich hab immer Glück gehabt.

SPEER Ich auch, außer einmal.

RAUCH War sie wenigstens hübsch?

SPEER In der Nacht sind alle Katzen grau.

RAUCH *erhebt sein Glas:* Spezielles!

28. Szene

KAROLINE *rutscht nun die Rinne herunter gefolgt von dem
Schürzinger und Rauch und Speer können ihr unter die
Röcke sehen.*

SCHÜRZINGER *erblickt Rauch, zuckt zusammen und
grüßt überaus höflich, sogar gleich zweimal.*

29. Szene

RAUCH *dankt überrascht; zu Speer:* Wer ist denn das? Jetzt
grüßt mich da der Kavalier von dem netten Popo –

30. Szene

KAROLINE *beschäftigt sich nun auch mit ihrem Büsten-
halter:* Wer ist denn das dort?

SCHÜRZINGER Das ist er selbst. ⌜Kommerzienrat⌝ Rauch.

Mein Chef. Sie kennen doch die große Firma – – vier
Stock hoch und auch noch nach hinten hinaus.

KAROLINE Ach jaja!

SCHÜRZINGER Er hat zwar im Juni eine GmbH aus sich
gemacht, aber nur pro forma* wegen der Steuer und so.

(lat.) der Form
wegen, nur
zum Schein

31. Szene

RAUCH *hatte sich mit Speer besprochen und nähert sich
nun bereits etwas angetrunken dem Schürzinger:* Verzeihen Sie der Herr! Woher haben wir das Vergnügen?

SCHÜRZINGER Mein Name ist Schürzinger, Herr Kommerzienrat.

RAUCH Schürzinger?

SCHÜRZINGER Kinderkonfektion. Abteilung Kindermän-
tel.

Stille.

RAUCH *zu Schürzinger:* Das Fräulein Braut?

KAROLINE Nein.

Stille.

RAUCH *steckt dem Schürzinger eine Zigarre in den Mund:*
Sehr angenehm! *Zu Karoline.* Dürfen der Herr Kommerzienrat das Fräulein zu einem Kirsch bitten?

KAROLINE Nein danke. Ich kann keinen Kirsch vertragen.
Ich möcht gern einen Samos*.

Süßer und
alkoholreicher
Dessertwein
von der griech.
Insel Samos

RAUCH Also einen Samos! *Er tritt an die Hühnerbraterei.*
Einen Samos! *Zu Karoline.* Das ist mein bester Freund
aus Erfurt in Thüringen – – und ich stamme aus Weiden
in der Oberpfalz. Auf Ihr Wohlsein, Fräulein! Und einen
Kirsch für den jungen Mann da!

SCHÜRZINGER Verzeihung, Herr Kommerzienrat – – aber
ich nehme nie Alkohol zu mir.

32. Szene

KASIMIR *erscheint und beobachtet.*

33. Szene

RAUCH Na wieso denn nicht?

SCHÜRZINGER Weil ich ein Antialkoholiker bin, Herr Kommerzienrat.

SPEER Aus Prinzip?

SCHÜRZINGER Wie man so zu sagen pflegt.

RAUCH Also derartige Prinzipien werden hier nicht anerkannt! Wir betrachten selbige als nichtexistent! Mit seinem Oberherrgott wird der junge Mann schon einen Kirsch kippen! Ex, Herr – –

SCHÜRZINGER Schürzinger. *Er leert das Glas und schneidet eine Grimasse.*

RAUCH Schürzinger! Ich hatte mal einen Erzieher, der hieß auch Schürzinger. War das ein Rhinozeros! Noch einen Samos! Und noch einen Kirsch für den Herrn Antialkoholiker – – den haben wir jetzt entjungfert in Sachen Alkohol. Sie vielleicht auch, Fräulein?

KAROLINE Oh nein! Ich trink nur nichts Konzentriertes und das gemischte Zeug hab ich schon gar nicht gern – – *Sie erblickt Kasimir.*

34. Szene

KASIMIR *winkt sie zu sich heran.*

KAROLINE *folgt nicht.*

KASIMIR *winkt deutlicher.*

KAROLINE *leert den Samos, stellt dann das Glas trotzig und umständlich hin und nähert sich langsam Kasimir.*

35. Szene

RAUCH Wer ist denn das? ⌈Don Quichotte⌉?

SCHÜRZINGER Das ist der Bräutigam von dem Fräulein.

SPEER Tableau!*

SCHÜRZINGER Sie möcht aber nichts mehr von ihm wissen.

RAUCH Schon wieder angenehmer!

(veraltet) Da haben wir die Bescherung!

36. Szene

KAROLINE Was willst du denn schon wieder?
  Stille.

KASIMIR Was sind denn das dort für Leute?

KAROLINE Lauter alte Bekannte.

KASIMIR Sei nicht boshaft bitte.

KAROLINE Ich bin nicht boshaft. Der Dicke dort ist der berühmte Kommerzienrat Rauch, der wo Alleininhaber ist. Und der andere kommt aus Norddeutschland. Ein Landgerichtsdirektor.

KASIMIR Also lauter bessere Menschen. Du kannst mich jetzt nicht mehr aufregen.
  Stille.

KAROLINE Was willst du noch?

KASIMIR Ich hab dich um Verzeihung bitten wollen von wegen meinem Mißtrauen und daß ich zuvor so grob zu dir war. Nein das war nicht schön von mir. Wirst du mir das verzeihen?

KAROLINE Ja.

KASIMIR Ich danke dir. Jetzt geht es mir schon wieder anders – – *Er lächelt.*

KAROLINE Du verkennst deine Lage.

KASIMIR Was für eine Lage?
  Stille.

KAROLINE Es hat keinen Sinn mehr, Kasimir. Ich hab mir
     das überlegt und habe mich genau geprüft – – *Sie wendet*
     sich der Schnapsbude zu.

KASIMIR Aber das sind doch dort keine Menschen für
     dich! Die nützen dich doch nur aus zu ihrem Vergnügen!

KAROLINE So sei doch nicht so sentimental. Das Leben ist
     hart und eine Frau, die wo etwas erreichen will, muß
     einen einflußreichen Mann immer bei seinem Gefühls-
     leben packen.

KASIMIR Hast du mich auch dort gepackt?

KAROLINE Ja.

     Stille.

KASIMIR Das ist nicht wahr.

KAROLINE Doch.

     Stille.

KASIMIR Was willst du denn durch diese Herrschaften
     dort erreichen?

KAROLINE Eine höhere gesellschaftliche Stufe und so.

KASIMIR Das ist aber eine neue Ansicht, die du da hast.

KAROLINE Nein, das ist keine neue Ansicht – – aber ich
     habe mich von dir tyrannisieren lassen und habe es dir
     nachgesagt, daß eine ⌐Büroangestellte auch nur eine Pro-
     letarierin ist⌐! Aber da drinnen in meiner Seele habe ich
     immer anders gedacht! Mein Herz und mein Hirn waren
     ja umnebelt, weil ich dir hörig war! Aber jetzt ist das
     aus.

KASIMIR Aus?

KAROLINE Du sagst es.

     Stille.

KASIMIR So. Hm. Also das wird dann schon so sein. Der
     Kasimir ist halt abgebaut. So und nicht anders. Da gibt
     es keine Ausnahmen. Lächerlich.

KAROLINE Hast du mir noch etwas zu sagen?

     Stille.

KASIMIR Lang bin ich herumgeschlichen und hab es mir

überlegt, ob ich dich nämlich um Verzeihung bitten soll
– – – – aber jetzt tut es mir leid. *Ab.*

37. Szene

KAROLINE *sieht ihm nach und wendet sich dann wieder
der Schnapsbude zu.*
Dunkel.

38. Szene

Das Orchester ˹spielt nun die letzte Rose˺.

39. Szene

˹*Neuer Schauplatz*˺:
Bei den ˹Abnormitäten˺.
*Drinnen im Zuschauerraum. Es ist gesteckt voll. Auch
Rauch, Speer, Karoline und der Schürzinger sitzen drin-
nen.*

40. Szene

DER AUSRUFER Als fünftes darf ich Ihnen nun vorstellen
den Mann mit dem Bulldoggkopf!
DER MANN MIT DEM BULLDOGGKOPF *betritt die Bühne.*
DER AUSRUFER Johann, der Mann mit dem Bulldoggkopf,
ist vorgestern sechzehn Jahre alt geworden. Wie Sie sehen, sind seine Unterkieferknochen abnorm stark aus-
geprägt, so daß er mit seiner Unterlippe ohne weiteres
bequem seine Nase bedecken kann.

Kasimir und Karoline

DER MANN MIT DEM BULLDOGGKOPF *tut es.*

DER AUSRUFER Johann kann seinen Mund nicht öffnen und wird daher künstlich ernährt. Man könnte ihm zwar durch eine überaus schwierige Operation den Mund öffnen, aber dann hinwiederum könnte er seinen Mund nie schließen. Sie sehen hier, was die Natur für Spiele zu betreiben beliebt und ⌜welch seltsame Menschen auf unserer Erde hausen.⌝

DER MANN MIT DEM BULLDOGGKOPF *verbeugt sich und ab.*

41. Szene

DER AUSRUFER Und nun, meine Herrschaften, kommen wir zur sechsten Nummer und damit zum Clou* unserer Serie. ⌜Juanita, das Gorillamädchen⌝!

JUANITA *betritt die Bühne.*

DER AUSRUFER Juanita wurde in einem kleinen Dorfe bei Zwickau geboren. Wieso es gekommen war, daß sie in Hinsicht auf ihre körperliche Gestaltung nicht wie andere Menschenkinder das Licht der Welt erblickt hatte, das ist ein Rätsel der Wissenschaft. Wie sich die Herrschaften überzeugen können, ist Juanita am ganzen Leibe tierisch behaart und auch die Anordnung der inneren Organe ist wie bei einem Tier –

42. Szene

Surren in der Luft, und zwar immer stärker und stärker; draußen Geheul und allgemeiner Musiktusch.

RAUCH *schnellt empor:* Der Zeppelin! Der Zeppelin!
Ohrenbetäubendes Surren, die Zuschauer stürzen in das Freie – – und nun beschreibt der Zeppelin einige Schleifen über der Oktoberfestwiese.

Höhepunkt

43. Scene

JUANITA *will auch hinaus.*

(hebr.) Wohl verrückt geworden? DER AUSRUFER Zurück! Meschugge?*

JUANITA Aber der Zeppelin –

DER AUSRUFER Aber ausgeschlossen! Unmöglich! Zurück!

44. Scene

DER MANN MIT DEM BULLDOGGKOPF *erscheint mit den übrigen Abnormitäten, der dicken Dame, dem Riesen, dem jungen Mädchen mit Bart, dem Kamelmenschen und den zusammengewachsenen Zwillingen.*

DER AUSRUFER Ja wer hat euch denn gerufen?! Was nehmt ihr euch denn da heraus?!

DIE DICKE DAME Aber der Zeppelin – –

45. Scene

DER LILIPUTANER *erscheint auf der Bühne mit einer Hundepeitsche:* Heinrich! Was gibts denn da?

DER AUSRUFER Direktor! Die Krüppel sind wahnsinnig geworden! Sie möchten den Zeppelin sehen!

DER LILIPUTANER *scharf:* Sonst noch was fällig?! *Stille.*

DER LILIPUTANER Auf die Plätze! Aber schleunigst bitte! Was braucht ihr einen Zeppelin zu sehen – – wenn man euch draußen sieht, sind wir pleite! Das ist ja ⌐Bolschewismus⌐!

JUANITA Also beschimpfen laß ich mich nicht! *Sie weint.*

DER MANN MIT DEM BULLDOGGKOPF *röchelt, wankt und faßt sich ans Herz.*

DIE DICKE DAME Johann! Johann – –
DER LILIPUTANER Raus mit euch! Marsch marsch!
DIE DICKE DAME *stützt den Mann mit dem Bulldoggkopf:*
Der arme Johann – – er hat doch so ein schwaches Herz
– – *Sie zieht sich zurück mit den übrigen Abnormitäten,*
nur Juanita bleibt zurück.

46. Szene

DER LILIPUTANER *plötzlich sanft:* Also nur nicht weinen,
kleine Juanita – – hier hast du Bonbons – – schöne Pralinen – –
JUANITA Sie sollen mich nicht immer beschimpfen, Herr
Direktor – – das ist doch wirklich schon unchristlich.
DER LILIPUTANER Nichts für ungut. Da – – *Er übergibt ihr*
die Pralinen und ab.

47. Szene

JUANITA *verzehrt apathisch* die Pralinen – – inzwischen*   teilnahmslos,
erscheinen Karoline und der Schürzinger wieder im Zu-   gleichgültig
schauerraum und setzen sich in die hinterste Bankreihe.

48. Szene

KAROLINE Er sieht schön aus, der Zeppelin – – auch in der
Nacht, so beleuchtet. Aber wir fliegen ja nicht mit.
SCHÜRZINGER Bestimmt.
KAROLINE Sie schaun mich so komisch an.
SCHÜRZINGER Sie mich auch.
Stille.
KAROLINE Ich glaub, ich habe schon einen kleinen sitzen.
Und Sie haben noch nie einen Alkohol getrunken?

SCHÜRZINGER Noch nie.

KAROLINE Und auch sonst sind der Herr so zurückhaltend?

SCHÜRZINGER Das wieder weniger eigentlich.

KAROLINE *gibt ihm plötzlich einen kurzen Kuß.*
Stille.

SCHÜRZINGER Jetzt kenn ich mich nicht mehr aus. Ist das jetzt der Alkohol oder – – es geht nämlich etwas vor in mir, was ich nicht kontrollieren kann. Wenn man zum Beispiel Geld hätte – –

KAROLINE *unterbricht ihn:* Geh sei doch nicht so fad!
Stille.

SCHÜRZINGER Sind wir jetzt per du?

KAROLINE Für diesen heutigen Abend – –

SCHÜRZINGER Und für sonst?

KAROLINE Vielleicht!
Stille.

49. Szene

RAUCH *erscheint nun auch wieder im Zuschauerraum – – er erblickt Karoline und Schürzinger, hält knapp beim Eingang und lauscht.*

KAROLINE Du heißt Eugen?

SCHÜRZINGER Ja.

KAROLINE Und ich heiße Karoline. Warum lachst du jetzt?

SCHÜRZINGER Weil ich mich freu.

RAUCH Und ich heiße Konrad.

SCHÜRZINGER *zuckt zusammen und Karoline ebenfalls.*
Stille.

SCHÜRZINGER *erhebt sich.*

RAUCH *grinst und droht neckisch mit dem Zeigefinger:* Nanana, böses Karolinchen – – wer sitzt denn da drinnen, während draußen der Zeppelin fliegt?

KAROLINE   Oh den Zeppelin, den kenne ich schon aus-
wendig!
Stille.
RAUCH   *fixiert Schürzinger; verärgert:* Ich gratuliere.
SCHÜRZINGER   *verbeugt sich unangenehm berührt.*
RAUCH   *grimmig:* Nur so weiter! Lassen Sie sich nur nicht
stören in Ihrer angeregten Unterhaltung – –
SCHÜRZINGER   Herr Kommerzienrat! Angeregt ist anders,
wie man so zu sagen pflegt – – *Er lächelt höflich und
setzt sich wieder.*
RAUCH   Anders?

50. Szene

SPEER   *ist Rauch gefolgt:* Ein widerlicher Bursche!
RAUCH   Ein Zyniker.
SPEER   Schmiert sich da an Karolinchen an* während wir   Schmeichelt
dem Zepp folgen.   sich da bei
                                                         Karolinchen
RAUCH   Es wird sich da bald ausgeschmiert haben.   ein

51. Szene

Das Orchester intoniert nun piano* den ⌈Radetzkymarsch⌉   (ital.) leise
und die Zuschauer betreten nun wieder den Zuschauer-
raum, weil der Zeppelin bereits unterwegs nach
⌈Friedrichshafen⌉ ist. Als alles wieder sitzt, bricht das Or-
chester ab, und zwar mitten im Takt.

52. Szene

KAROLINE   Wie willst du das verstanden haben, daß du
nicht angeregt bist?

SCHÜRZINGER Aber das war doch nur eine momentane Taktik.

KAROLINE Ich höre dich schon gehen. Du bist also ein berechnender Mensch. Auch in der Liebe?

SCHÜRZINGER Nein das ist ein krasses Mißverständnis, was du da nämlich jetzt denkst.

KAROLINE Ich denke ja gar nichts, ich sage es ja nur.

53. Szene

DER AUSRUFER *schlägt auf den Gong:* Meine Damen und Herren! Wir waren dort stehen geblieben, daß Juanita auf dem ganzen Leibe tierisch behaart und daß auch die Anordnung ihrer inneren Organe wie bei einem Tiere ist. Trotzdem hat Juanita aber eine äußerst rege Phantasie. So spricht sie perfekt englisch und französisch und das hat sie sich mit zähem Fleiß selbst beigebracht. Und nun wird sich Juanita erlauben, den Herrschaften eine Probe ihrer prächtigen Naturstimme zu geben! Darf ich bitten – –

Auf einem ausgeleierten Piano ertönt die ⌈Barcarole aus Hoffmanns Erzählungen⌉.

54. Szene

JUANITA *singt – – und während sie singt, legt Schürzinger seinen Arm um Karolines Taille und auch ihre Waden respektive Schienbeine berühren sich:*
Schöne Nacht, du Liebesnacht
O stille mein Verlangen!
Süßer als der Tag uns lacht
Die schöne Liebesnacht.
Flüchtig weicht die Zeit unwiederbringlich unserer Liebe

Fern von diesem lauschigen Ort entweicht die flüchtige
Zeit
Zephire* lind und sacht   Milde Winde
Die uns kosend umfangen
5 Zephire haben sacht
Sanfte Küsse gebracht – –
Ach.
Schöne Nacht, du Liebesnacht
O stille mein Verlangen.
0 Süßer als der Tag uns lacht
Die schöne Liebesnacht – –
Ach.

55. Szene

*Schon während der letzten Strophen fiel der Vorhang. Nun
hat Juanita ihr Lied beendet und der Liliputaner geht vor
dem Vorhang von rechts nach links über die Bühne. Er hält
eine Tafel in den Händen und auf dieser Tafel steht: »Pause«.*

56. Szene

Pause.

57. Szene

*Und wieder wird es dunkel im Zuschauerraum und das
Orchester spielt den bayerischen Defiliermarsch* von
Scherzer. Hierauf hebt sich wieder der Vorhang.*

Eigentl.
»Avancier-
marsch« von
Adolph
Scherzer
(1815–1864)

58. Szene

Schauplatz:
Beim ⌐Wagnerbräu⌐.
Mit der festlichen Blechmusikkapelle.
Der Merkl Franz ist aufgeräumt und seine Erna mehr bescheiden, während Kasimir melancholisch daneben hockt.

59. Szene

Vgl. Erl. zu 9,3

ALLES *außer Kasimir, singt zur Blechmusik:*
Solang der alte Peter*
Am Petersbergerl steht   1
Solang die grüne Isar
Durchs Münchnerstadterl fließt
Solang am Platzl drunten
Noch steht das Hofbräuhaus
Solang stirbt die Gemütlichkeit   1
Zu München nimmer aus
Solang stirbt die Gemütlichkeit
Zu München nimmer aus!
Ein Prosit, ein Prosit der Gemütlichkeit*!
Eins, zwei, drei, – gsuffa!   2

Musikalischer
Trinkspruch
(1901) von
Georg Kunoth
(1863–1927)

60. Szene

DER MERKL FRANZ   Prost Kasimir! Sauf damit du etwas
wirst!
KASIMIR   Was soll ich denn schon werden? Vielleicht gar
ein Kommerzienrat!   25
DER MERKL FRANZ   So gründ doch eine neue Partei! Und
werd ⌐Finanzminister⌐!
KASIMIR   ⌐Wer den Schaden hat, hat auch den Spott.⌐

Kasimir und Karoline

DER MERKL FRANZ ⌐Wem nicht zu raten ist, dem ist nicht
zu helfen.⌐
Stille.

KASIMIR Jetzt bin ich ein Kraftwagenführer und habe den
⌐Führerschein⌐ A drei und den Führerschein B drei.

DER MERKL FRANZ Sei nur froh, daß du deine Braut nicht
mehr hast, diese arrogante Person!

KASIMIR Das Fräulein sind halt eine Büroangestellte.

DER MERKL FRANZ Das ist noch kein Entschuldigungs-
grund.

KASIMIR Überhaupt sind alle Weiber* minderwertige Sub-
jekte – – Anwesende natürlich ausgenommen. Sie ver-
kaufen ihre Seele und verraten in diesem speziellen Falle
mich wegen einer Achterbahn.

Vgl. Erl. zu
18,25

ERNA Wenn ich ein Mann wär, dann tät ich keine Frau
anrühren. Ich vertrag schon den Geruch nicht von einer
Frau. Besonders im Winter.

61. Szene

ALLES *außer Kasimir, singt nun wieder zur Blechmusik:*
⌐Ich schieß den Hirsch im wilden Forst
Im dunklen Wald das Reh
Den Adler auf der Klippe Horst*
Die Ente auf dem See.
Kein Ort der Schutz gewähren kann
Wenn meine Büchse knallt – –
Und dennoch hab ich harter Mann
die Liebe schon gespürt.⌐
Plötzlich Stille.

Auf in schwer
erreichbarer
Felshöhe
gebautes Nest
von Raubvö-
geln

62. Szene

KASIMIR Und dennoch hab ich harter Mann ⌈die Liebe⌉ schon gespürt – – und die ist ein Himmelslicht und macht deine Hütte zu einem Goldpalast – – ⌈und sie höret nimmer auf⌉, solang du nämlich nicht arbeitslos wirst. Was sind denn das schon überhaupt für Ideale von wegen dem seelischen Ineinanderhineinfließen zweier Menschen? Adam und Eva! Ich scheiß dir was auf den Kontakt – – da hab ich jetzt noch ein ⌈Kapital von rund vier Mark⌉, aber heut sauf ich mich an und dann häng ich mich auf – – und morgen werden die Leut sagen: Es hat einmal einen armen Kasimir gegeben – –

DER MERKL FRANZ Einen Dreck werden die Leut sagen! Da sterben ja ⌈täglich Tausende⌉ – – und sind schon vergessen, bevor daß sie sterben! Vielleicht, daß wenn du ein politischer Toter wärst, nachher tätst noch mit einem Pomp begraben werden, aber schon morgen vergessen – – vergessen!

KASIMIR Ja man ist ziemlich allein.

DER MERKL FRANZ Prost Arschloch!

63. Szene

ALLES *außer Kasimir, singt nun abermals zur Blechmusik:*
Trink, trink, Brüderlein trink*
Lasset die Sorgen zuhaus
Deinen Kummer und deinen Schmerz
Dann ist das Leben ein Scherz
Deinen Kummer und deinen Schmerz
Dann ist das Leben ein Scherz.
Plötzlich Stille.

1927 geschriebenes und komponiertes Trinklied von Wilhelm Lindemann (1882–1941)

64. Szene

KASIMIR *erhebt sich:* So. Jetzt werd ich aber elementar*. Eigentlich sollt ich jetzt zur Karoline nachhause gehen und ihr alle Kleider aus ihrem Kleiderschrank herausreißen und zerreißen, bis die Fetzen fliegen! Jetzt werd ich aber ganz ekelhaft! *Wankend ab.*

grundlegend, wesentlich

65. Szene

ERNA Wo geht denn der da hin?

DER MERKL FRANZ Wenn er nicht hineinfallt, kommt er wieder heraus.

ERNA Ich hab nämlich direkt Angst − −

DER MERKL FRANZ Der tut sich doch nichts an.

ERNA Aber ich glaub es nicht, daß der eine robuste Natur ist. Der ist mehr empfindsam.

DER MERKL FRANZ Du hast ja eine scharfe Beobachtungsgabe.

Stille.

ERNA Du Franz − − laß ihn doch laufen bitte.

DER MERKL FRANZ Wen?

ERNA Den Kasimir.

DER MERKL FRANZ Wieso laufen lassen?

ERNA Der paßt doch nicht zu uns, ⌐das hab ich jetzt direkt im Gefühl⌐ − − Beeinflusse ihn nicht bitte.

DER MERKL FRANZ Und warum nicht?

ERNA Weil das ist ja auch nichts, was wir da treiben.

DER MERKL FRANZ Seit wann denn?

Stille.

ERNA Geh so tu doch deine Finger aus meinem Bier!

DER MERKL FRANZ Du hast eine scharfe Beobachtungsgabe.

ERNA So tu doch die Finger da raus − −

DER MERKL FRANZ Nein. Das kühlt mich so angenehm. Mein heißes Blut.

ERNA *reißt plötzlich seine Hand aus ihrem Bierkrug.*

DER MERKL FRANZ *grinst perplex.*

66. Szene

ALLES *außer Erna und dem Merkl Franz, singt nun wieder zur Blechmusik; Rauch, Speer, Karoline und Schürzinger gehen vorüber, mit dem Maßkrug in der Hand, Papiermützen auf dem Kopf und Scherzartikel in der Hand – – auch sie singen natürlich mit:*
Trink, trink, Brüderlein trink
Lasset die Sorgen zuhaus
Deinen Kummer und deinen Schmerz
Dann ist das Leben ein Scherz!
Deinen Kummer und deinen Schmerz
Dann ist das Leben ein Scherz!
Plötzlich Stille.

67. Szene

KASIMIR *erscheint mit Elli und Maria – er hält beide umarmt:* Darf ich bekannt machen! Wir drei Hübschen haben uns gerade soeben vor der Toilette kennengelernt! Merkl, kannst du mir das Phänomen erklären, warum daß die Damenwelt immer zu zweit verschwindet?

MARIA Pfui!

DER MERKL FRANZ Hier gibt es kein Pfui, Fräulein!

KASIMIR ⌐Wir sind alles nur Menschen!⌐ Besonders heute! *Er setzt sich und läßt Elli auf seinem Schoß Platz nehmen.*

ELLI *zum Merkl Franz:* Stimmt das jetzt, daß dieser Herr einen ⌐Kompressor⌐ besitzt.

DER MERKL FRANZ Natürlich hat der einen Kompressor!
  Und was für einen!

MARIA *zu Elli:* Geh so lasse dich doch nicht so anschwin-
  deln! Der und einen Kompressor!

KASIMIR *zu Maria:* Wenn der Kasimir sagt, daß er einen
  Kompressor hat, dann hat er aber auch einen Kompressor – – merk dir das, du Mißgeburt!

ELLI *zu Maria:* So sei doch auch schon still.

KASIMIR *streichelt Elli:* Du bist ein anständiges Wesen. Du
  gefällst mir jetzt. Du hast so schöne weiche Haare und
  einen glatten Teint.

ELLI Ich möcht gern was zum trinken.

KASIMIR Da! Sauf!

ELLI Da ist ja kein Tropfen mehr drinnen.

KASIMIR Bier her!

KELLNERIN *geht gerade vorbei und stellt ihm eine Maß
  hin:* Gleich zahlen bitte!

KASIMIR *kramt in seinen Taschen:* Zahlen bitte, zahlen
  bitte – – ja Herrgottsackelzement*, hab ich denn jetzt da
  schon das ganze Geld weg – –

Umschrei-
bung für den
Fluch: Herr-
gottsakrament

KELLNERIN *nimmt die Maß wieder mit.*

ELLI *erhebt sich.*

MARIA Und so etwas möchte einen Kompressor haben?
  Ich hab es dir ja gleich gesagt, daß so etwas im besten
  Falle ein Fahrrad hat. Auf Abzahlung.

KASIMIR *zu Elli:* Komm, geh her – –

ELLI *winkt:* Grüß dich Gott, Herr Kompressor – – *Ab mit
  Maria.*

68. Szene

KASIMIR Zahlen bitte – – oh du mein armer Kasimir!
  Ohne Geld bist halt der letzte Hund!

DER MERKL FRANZ Kasimir, der Philosoph.

KASIMIR Wenn man nur wüßt, was daß man für eine Partei wählen soll – –

DER MERKL FRANZ Kasimir, der Politiker.

KASIMIR Leck mich doch du am Arsch, Herr Merkl!
Stille.

DER MERKL FRANZ Schau mich an.

KASIMIR *schaut ihn an.*

DER MERKL FRANZ Es gibt überhaupt keine politische Partei, bei der ich noch nicht dabei war, höchstens ⌈Splitter⌉. Aber überall markieren die anständigen Leut den blöden Hund! In einer derartigen Weltsituation muß man es eben derartig machen, wie zum Beispiel ein gewisser Merkl Franz.

KASIMIR Wie?

DER MERKL FRANZ Einfach.
Stille.

DER MERKL FRANZ Zum Beispiel habe ich mich in letzter Zeit spezialisiert – – auf einen gewissen Paragraphen.*

KASIMIR Also mit Paragraphen sollte man sich nicht einlassen.

DER MERKL FRANZ Du Rindvieh. *Er hält dem Kasimir Zehnmarkscheine unter die Nase.*
Stille.

KASIMIR Nein. So private Aktionen haben wenig Sinn.

ERNA Dort drüben sitzt die Karoline.

KASIMIR *erhebt sich:* Wo?
Stille.

DER MERKL FRANZ Sie hat dich erblickt.

KASIMIR Aber sie geht nicht her.
Stille.

Gemeint ist der Diebstahls-paragraph 242 StGB.

69. Szene

KASIMIR *hält nun eine Rede an die ferne Karoline:* Fräulein Karoline. Du mußt keineswegs hergehen, weil es halt jetzt ganz aus ist mit unseren Beziehungen, auch mit den menschlichen. Du kannst ja auch nichts dafür, dafür kann ja nur meine Arbeitslosigkeit etwas und das ist nur logisch, du Schlampen* du elendiger! Aber wenn ich jetzt dem Merkl Franz folgen täte, dann wärest aber nur du daran schuld – – weil ich jetzt innerlich leer bin. Du hast in mir drinnen gewohnt und bist aber seit heute ausgezogen aus mir – – und jetzt stehe ich da wie das ⌈Rohr im Winde⌉ und kann mich nirgends anhalten – – *Er setzt sich.*

Tragisch an dieser Situation

(ugs.) liederliches Weib, Hure

70. Szene

Stille.

DER MERKL FRANZ Also?

KASIMIR ⌈Leergebrannt ist die Stätte.⌉

DER MERKL FRANZ Kasimir. Zum letztenmal: wem nicht zu raten ist, dem ist nicht zu helfen*.

Vgl. Erl. zu 43,1–2

KASIMIR Das weiß ich jetzt noch nicht.

DER MERKL FRANZ *streckt ihm seine Hand hin:* Das liegt in deiner Hand – –

KASIMIR *stiert abwesend vor sich hin:* Ich weiß das jetzt noch nicht.

ERNA So lasse ihn doch, wenn er nicht mag.

Stille.

DER MERKL FRANZ *fixiert Erna grimmig – – plötzlich schüttet er ihr sein Bier in das Gesicht.*

ERNA *schnellt empor.*

DER MERKL FRANZ *drückt sie auf ihren Platz zurück:* Da bleibst! Sonst tritt ich dir in das Gesicht!

71. Szene

Vgl. Erl. zu 34,8

ALLES *außer Kasimir, Erna und dem Merkl Franz, singt:*
Und blühn einmal die Rosen*
Ist der Winter vorbei
Nur der Mensch hat alleinig
Einen einzigen Mai
Und die Vöglein die ziehen
Und fliegen wieder her
Nur der Mensch bald er fortgeht
Nachher kommt er nicht mehr.
Dunkel.

72. Szene

Komposition (Op.57) von Richard Eilenberg (1848–1925)

Nun spielt das Orchester die Petersburger Schlittenfahrt.*

73. Szene

Neuer Schauplatz:
Im ⌐Hippodrom⌐.
Rauch, Speer, Karoline und Schürzinger betreten es.

74. Szene

RAUCH *zu Karoline:* Na wie wärs mit einem kühnen Ritt?
    Wir sind doch hier im Hippodrom!
KAROLINE Fein! Aber nur keinen ⌐Damensattel⌐ – – von
    wegen dem festeren Halt.

Anspielung auf Soldaten zu Pferde, die Kavallerie

RAUCH Schneidig!
SPEER Das Fräulein denkt kavalleristisch*.
KAROLINE Wenn ich einmal reit, möcht ich aber gleich
    zweimal reiten – –

RAUCH   Auch dreimal!
KAROLINE   Fein! *Ab in die Manege.*

75. Szene

SPEER   *ruft ihr nach:* Auch viermal!
RAUCH   Auch ixmal! *Er setzt sich mit Speer an ein Tisch-*
chen auf der Estrade* und läßt Flaschenwein auffahren.
SCHÜRZINGER   *bleibt aber drunten stehen und stiert Ka-*
roline ständig nach; ⌐*jetzt wird ein altes lahmes Pferd*
mit einem Damensattel, in dem ein zehnjähriges kurz-
sichtiges Mädchen sitzt, an der Estrade vorbei in die
Manege geführt – – gleich darauf ertönt Musik, die wo
dann immer wieder mitten im Takt abbricht, wenn näm-
lich einige Runden vorbei sind und man neu bezahlen
muß; auch Peitschengeknalle ist zu vernehmen;⌐ *Schür-*
zinger stellt sich auf einen Stuhl, um besser zusehen zu
können; auch Rauch und Speer sehen natürlich zu.

(franz.)
Erhöhter Teil
des Fußbo-
dens, eine Art
Podium

76. Szene

RAUCH   Wacker! Prima!
SPEER   Eine ⌐Amazone⌐!
RAUCH   Ein Talent! Da wackelt der Balkon! Radfahrende
   Mädchen erinnern von hinten an schwimmende Enten.
SPEER   *wendet sich wieder dem Flaschenwein zu:* Mensch
   Rauch! Wie lange habe ich keinen Gaul mehr unter mir
   gehabt!
RAUCH   Tatsächlich?
SPEER   1912 – – da konnt ich mir noch zwei Pferde halten.
   Aber heute? Ein armer Richter. Wo sind die Zeiten! Das
   waren zwei Araber*. Stuten. Rosalinde und Yvonne.
RAUCH   *hat sich nun auch wieder dem Flaschenwein zuge-*
wandt: Du hast doch auch spät geheiratet?

Edle Pfer-
derasse

SPEER Immer noch früh genug.

RAUCH Das sowieso. *Er erhebt sein Glas.* Spezielles!
Stille.

Mondäner
Schweizer
Kurort

RAUCH Ich hab mein Weib nach Arosa* und überallhin – –
der Junge ist ja kerngesund.

SPEER Wann macht er denn seinen Doktor?

RAUCH Nächstes Semester. Wir werden alt.
Stille.

SPEER Ich bin schon zweimal Großpapa. Es bleibt immer
etwas von einem zurück. Ein Körnchen.

77. Szene

KAROLINE *erscheint nun wieder und möchte an dem
Schürzinger vorbei, der noch immer auf dem Stuhle
steht.*

SCHÜRZINGER *gedämpft:* Halt! In deinem Interesse.

KAROLINE Auweh.

SCHÜRZINGER Wieso auweh?

KAROLINE Weil wenn ein Mann so anfangt, dann hat er
Hintergedanken.

SCHÜRZINGER *steigt langsam vom Stuhl herab und tritt
dicht an Karoline heran:* Ich habe keine Hintergedanken. Ich bin jetzt nämlich wieder etwas nüchterner geworden. Bitte trinke keinen Alkohol mehr.

KAROLINE Nein. Heut trink ich was ich will.

SCHÜRZINGER Du kannst es dir nicht ausmalen in deiner
Phantasie, was die beiden Herrschaften dort über dich
reden.

KAROLINE Was reden sie denn über mich?

SCHÜRZINGER Sie möchten dich betrunken machen.

KAROLINE Oh ich vertrag viel.
Stille.

SCHÜRZINGER Und dann sagt er es ganz offen heraus, der
Herr Kommerzienrat.

KAROLINE Was?

SCHÜRZINGER Daß er dich haben möchte. Erotisch. Noch heute Nacht.

Stille.

KAROLINE So. Also haben möchte er mich – –

SCHÜRZINGER Er sagt es vor mir, als wäre ich ein Nichts. So etwas ist doch keine Gesellschaft für dich. Das ist doch unter deiner Würde. Komm, ⌐empfehlen wir uns jetzt auf französisch⌐ – –

KAROLINE Wohin?

Stille.

SCHÜRZINGER Wir können auch noch einen Tee trinken. Vielleicht bei mir.

Stille.

KAROLINE Du bist auch nur ein Egoist. Akkurat* der Herr Kasimir. Ganz genau wie

SCHÜRZINGER Jetzt ⌐sprichst du spanisch⌐.

KAROLINE Jawohl, Herr Kasimir.

SCHÜRZINGER Ich heiße Eugen.

KAROLINE Und ich heiße Karoline.

Stille.

SCHÜRZINGER Ich bin nämlich ein schüchterner Mensch. Und zuvor bei den Abnormitäten, da habe ich über eine gemeinsame Zukunft geträumt. Aber das war eben nur eine momentane Laune von einem gewissen Fräulein Karoline.

KAROLINE Jawohl, Herr Eugen.

SCHÜRZINGER Oft verschwendet man seine Gefühle – –

KAROLINE Menschen ohne Gefühl haben es viel leichter im Leben. *Sie läßt ihn stehen und wendet sich der Estrade zu; Schürzinger setzt sich nun auf den Stuhl.*

78. Szene

RAUCH Ich gratuliere!

Leichter
Lanzenreiter
SPEER Sie sind talentiert. Das sage ich Ihnen als alter
Ulan*.

KAROLINE Ich dachte, der Herr wär ein Richter.

SPEER Haben Sie schon mal einen Richter gesehen, der
kein Offizier war? Ich nicht!

RAUCH Es gibt schon einige – –

SPEER ⌈Juden!⌉

KAROLINE Also nur keine Politik bitte!

SPEER Das ist doch keine Politik!

→ RAUCH ⌈Ein politisch Lied ein garstig Lied⌉ – – *Er prostet
mit Karoline.* Auf unseren nächsten Ritt!

KAROLINE Ich möchte ja sehr gerne noch reiten. Die dreimal waren so schnell herum.

RAUCH Also noch einmal dreimal!

SPEER *erhebt sein Glas:* Rosalinde und Yvonne! Wo seid
ihr jetzt? Ich grüße euch im Geiste! Was ist ein Kabriolett
neben einem Gaul!

KAROLINE O ein Kabriolett ist schon auch etwas Feudales!

SPEER *wehmütig:* Aber man hat doch nichts Organisches
unter sich – –

RAUCH *leise:* Darf ich Ihnen eröffnen, daß ich ein feudales
Kabriolett besitze. Ich hoffe, Sie fahren mit.
Stille.

KAROLINE Wohin?

Ältester und
berühmtester
Wallfahrtsort
Bayerns
RAUCH Nach Altötting*.

KAROLINE Nach Altötting ja – – *Ab wieder in die Manege
– – an dem Schürzinger vorbei, der nun einen seiner
Mitesser in seinem Taschenspiegel aufmerksam betrachtet.*

79. Szene

RAUCH *ist nun bereits ziemlich betrunken – – selig dirigiert er vor sich hin, als wäre er der Kapellmeister der Hippodrommusik; die spielt gerade einen Walzer.*

SPEER *ist noch betrunkener:* Altötting? Wo liegt denn Altötting?

RAUCH *singt nach den Walzerklängen:* In meinem Kämmerlein – – eins zwei drei – – in meinem Bettelein – – eins zwei drei – – *Er summt.*

SPEER *boshaft:* Und dein Herr Angestellter* dort?
Die Musik bricht ab mitten im Takt.

Vgl. Erl. zu 33,22–23

RAUCH *schlägt mit der Hand auf den Tisch und fixiert Speer gehässig.*
Jetzt spielt die Musik wieder, und zwar ein Marschlied.

RAUCH *singt grimmig mit und fixiert den Speer noch immer dabei:*
Ja wir sind Zigeuner
Wandern durch die Welt
Haben fesche Weiber
Die verdienens Geld
Dort auf jener Wiese
Hab ich sie gefragt
Ob sie mich mal ließe
»Ja« hat sie gelacht!
Die Musik bricht wieder plötzlich ab.

SPEER *noch boshafter:* Und Ihr Herr Angestellter dort?

RAUCH *brüllt ihn an:* Nur kein Neid! *Er erhebt sich und torkelt zu dem Schürzinger.*

80. Szene

RAUCH Herr – –
SCHÜRZINGER *ist aufgestanden:* Schürzinger.

RAUCH Stimmt. Auffallend! *Er steckt ihm abermals eine Zigarre in den Mund.* Noch eine Zigarre – – ein gelungener Abend.

SCHÜRZINGER Sehr gelungen, Herr Kommerzienrat.

RAUCH Apropos gelungen: Kennen Sie die historische Anekdote von ⌈Ludwig dem Fünfzehnten⌉, König von Frankreich – – Hören Sie her: Ludwig der Fünfzehnte ging eines Abends mit seinem Leutnant und dessen Braut in das Hippodrom. Und da hat sich jener Leutnant sehr bald verabschiedet, weil er sich überaus geehrt gefühlt hat, daß sein Monarch sich für seine Braut so irgendwie interessiert – – Geehrt hat er sich gefühlt! Geehrt!

Stille.

SCHÜRZINGER Ja diese Anekdote ist mir nicht unbekannt. Jener Leutnant wurde dann bald Oberleutnant – –

RAUCH So? Das ist mir neu.

Stille.

SCHÜRZINGER Darf ich mich empfehlen, Herr Kommerzienrat – – *Ab.*

81. Szene

SPEER *nähert sich Rauch; er ist nun total betrunken:* Herr Kommerzienrat. Sie sind wohl wahnsinnig geworden, daß Sie mich so anbrüllen – – Sie wissen wohl nicht, wen Sie vor sich haben! Speer! Landgerichtsdirektor!

RAUCH Freut mich!

SPEER Sie mich auch!

Stille.

RAUCH Lieber Werner, mir scheint, du bist besoffen.

SPEER Ist das dein Ernst, Konrad?

RAUCH Absolut.

Stille.

SPEER Das Gericht zieht sich zur Beratung zurück. Das
Gericht erklärt sich für nicht befangen. Keine Bewäh-
rungsfrist. Versagung mildernder Umstände. Keine Be-
währungsfrist!

RAUCH *boshaft:* Gibts denn in Erfurt keine Mädchen?

SPEER Kaum.

RAUCH *grinst:* Ja was machen denn da die Erfurter?

SPEER *fixiert ihn grimmig – – plötzlich versetzt er ihm
einen gewaltigen Stoß und tritt sogar nach ihm, erwischt
ihn aber nicht.*
Stille.

RAUCH Soll eine vierzigjährige Freundschaft so zerbre-
chen?

SPEER Im Namen des Königs – – *Er hebt die Hand zum
Schwur.* Bei dem Augenlichte meiner Enkelkinder
schwör ich es dir, jetzt sind wir zwei getrennt – – von
Tisch und Bett!
Er torkelt ab.

82. Szene

RAUCH *sieht ihm nach:* Traurig, aber wahr – – auch ein
Reptil. Ein eifersüchtiges Reptil. Aber der Konrad
Rauch, der stammt aus einem alten markigen Bauern-
geschlecht und solche Paragraphen sind für ihn Papier!
Trotz seiner zweiundsechzig Jahr! Au – – *Er windet sich
plötzlich und setzt sich auf Schürzingers Stuhl.* Was war
denn jetzt das? – – – – Hoffentlich werd ich heut Nacht
nicht wieder schwindlig – – der Joseph hat ja einen Blut-
sturz gehabt – – Achtung, Achtung, Konrad Rauch!
Achtung!

83. Szene

KAROLINE *erscheint und sieht sich um.*
Stille.

KAROLINE Wo ist denn der Herr Schürzinger?

RAUCH Er läßt sich bestens empfehlen.
Stille.

Vgl. 54,3 KAROLINE Und der Herr Ulanenoffizier* ist auch fort?

RAUCH Wir sind allein.
Stille.

KAROLINE Fahren wir wirklich nach Altötting?

RAUCH Jetzt. *Er versucht aufzustehen, muß sich aber gleich wieder setzen, und zwar schmerzverzerrt.* Was verdienen Sie monatlich?
Stille.

KAROLINE ⌐Fünfundfünfzig Mark.⌐

RAUCH Schön.

KAROLINE Ich bin auch froh, daß ich das habe.

RAUCH In der heutigen Zeit.

KAROLINE Nur hat man so gar keinen Zukunftsblick. Höchstens, daß ich mich verdreifache. Aber dann bin ich schon grau.

RAUCH Zukunft ist eine Beziehungsfrage – – *jetzt erhebt er sich* – – und Kommerzienrat Konrad Rauch ist eine Beziehung. Auf nach Altötting!
Musiktusch.
Dunkel.

84. Szene

Gedicht von Anton Freiherr von Klesheim (1812–1884), das Joseph Kreipl 1853 vertonte.

Nun spielt das Orchester das Mailüfterl.*

85. Szene

Neuer Schauplatz:
Auf dem Parkplatz für die Privatautos hinter der Okto-
berfestwiese. Im Vordergrund eine Bank. Der Merkl Franz
taucht auf mit seiner Erna und Kasimir.

86. Szene

DER MERKL FRANZ Alsdann hier hätten wir es. Es treibt
sich da nämlich nur der bewußte eine Parkwächter herum – – und der steht meistens dort drüben, weil man von
dort die schönere Aussicht auf die Festwiese hat. Erna!
Jetzt werd aber endlich munter!

ERNA Ich bin noch naß von dem Bier.

DER MERKL FRANZ Das war doch nur halb so tragisch
gemeint.

ERNA Tut es dir leid?

Stille

DER MERKL FRANZ Nein.

In der Ferne ertönt ein Pfiff.

DIE DREI LEUT lauschen.

DER MERKL FRANZ Kriminaler?* (ugs.) Krimi-
nalbeamter

ERNA Gib nur acht, Franz!

DER MERKL FRANZ A priori* habt ihr das hier zu tun – – (lat.) Von vorn-
herein
wenn sich was Unrechts rühren sollte. Heut parken ja da
allerhand hochkapitalistische Limousinen. Lauter Steu-
erhinterzieher – – *Er verschwindet zwischen den Li-*
mousinen.

87. Szene

KASIMIR *wie zu sich:* Auf Wiedersehen!

88. Szene

ERNA Der Merkl hat doch eine komische Natur. Zuerst
bringt er einen um und dann tut es ihm leid.

KASIMIR Er ist halt kein durchschnittlicher Mensch.

ERNA Weil er sehr intelligent ist. Der drückt so ein Auto-
türerl auf und ein Fensterscheiberl ein – – da hörst aber
keinen Laut.

KASIMIR Es bleibt einem ja nichts anderes übrig.

ERNA Das schon vielleicht.

Stille.

KASIMIR Vorgestern, da hätt ich dem noch das Kreuz ab-
geschlagen und die Gurgel hergedruckt, der es sich her-
ausgenommen hätte, sich etwas aus meinem Kabriolett
herauszuholen – – und heute ist das umgekehrt. ⌈So ändert man sich mit dem Leben.⌉

ERNA Heute sehe ich so schlecht. Ich bin noch geblendet
durch das Licht.

KASIMIR Ich weniger.

Stille.

ERNA Oft male ich mir eine ⌈Revolution⌉ aus – – dann seh
ich die Armen durch das ⌈Siegestor⌉ ziehen und die Rei-
chen im Zeiserlwagen*, weil sie alle miteinander gleich
soviel lügen über die armen Leut – – Sehens, bei so einer
Revolution, da tät ich gerne mit der Fahne in der Hand
sterben.

KASIMIR Ich nicht.

ERNA Meinen Bruder, den haben sie in einer Kiesgrube
erschossen – – Wissens seinerzeit nachdem damals der
Krieg aus war – – ⌈1919⌉.

Hier: Wagen
für Häftlings-
transporte

60   Kasimir und Karoline

KASIMIR Das ist auch nichts.

ERNA Aber mein Bruder hat sich doch aufgeopfert.

KASIMIR Das wird ihm halt mehr Vergnügen gemacht haben, daß er sich aufgeopfert hat.

ERNA Geh redens doch nicht so saudumm daher! Da hat ja noch selbst der Merkl Franz eine Achtung vor meinem toten Bruder!

Stille.

KASIMIR Dann bin ich halt schlechter als wie der Merkl Franz.

ERNA Weil Sie halt auch sehr verbittert sind.

KASIMIR Ich glaub es aber nicht, daß ich gut bin.

ERNA Aber die Menschen wären doch gar nicht schlecht, wenn es ihnen nicht schlecht gehen tät. Es ist das eine himmelschreiende Lüge, daß der Mensch schlecht ist.

Gesellschaftskritisch

89. Szene

DER MERKL FRANZ *kommt mit seiner Aktentasche zwischen den Limousinen hervor und nähert sich drohend Erna:* Was soll da jetzt eine himmelschreiende Lüge sein?

ERNA Daß der Mensch schlecht ist.

DER MERKL FRANZ Achso.

Stille.

ERNA Es gibt überhaupt keine direkt schlechten Menschen.

DER MERKL FRANZ Daß ich nicht lache.

KASIMIR ⌈Der Mensch ist halt ein Produkt seiner Umgebung.⌉

DER MERKL FRANZ Da. Eine Aktentasche – – ⌈*Er holt aus ihr ein Buch heraus und entziffert den Titel.* »Der erotische Komplex«⌉ – – und ein Kuvert: Herrn Kommerzienrat Konrad Rauch – – – – Ich meine, daß wir diese

Bibliothek dem Herrn Kommerzienrat wieder zurück-
schenken könnten – – *Zu Erna.* Oder hast du vielleicht
Interesse an diesem erotischen Komplex?

ERNA Nein.

DER MERKL FRANZ Drum.

KASIMIR Ich auch nein.

DER MERKL FRANZ Brav. Sehr brav – – Aber ihr müßt doch
da so hin und her zum Scheine – – das fällt doch auf,
wenn ihr da so festgewurzelt herumsteht – – *Er verschwindet wieder zwischen den Limousinen.*

90. Szene

ERNA Also kommens hin und her – –

KASIMIR Verzeihen Sie mir bitte.

ERNA Was denn?

KASIMIR Nämlich das habe ich mir jetzt überlegt. Ja das
war pfeilgerade pietätlos* von mir – – diese Anspielung
zuvor ⌜mit Ihrem toten Bruder⌝.
Stille.

ERNA Das hab ich gewußt von Ihnen, Herr Kasimir. *Ab
mit ihm.*

ehrfurchtslos,
ohne Achtung
(vor den
Toten)

91. Szene

*Nun spielt das Orchester den Militärmarsch 1822 von
Schubert* und es ist eine Zeit lang kein Mensch zu sehen;
dann kommt Speer mit Elli und Maria; er ist wieder etwas
nüchterner geworden, aber noch immer betrunken; das
Orchester bricht mitten im Takt ab.*

Franz Schubert
(1797–1828),
op. 51

92. Szene

MARIA Nein das sind hier nur Privatautos, die Mietautos
   stehen dort vorne ganz bei der Sanitätsstation.
ELLI *bleibt plötzlich zurück.*
SPEER Na was hat sie denn, das blonde Gift – –
MARIA Ich weiß nicht, was die hat. Das hat sie nämlich oft,
   daß sie plötzlich so streikt – – *Sie ruft.* Elli!
ELLI *gibt keine Antwort.*
MARIA Elli! So komme doch her!
ELLI *rührt sich nicht.*
SPEER Im Namen des Volkes!
MARIA Ich werd sie schon holen – – *Sie nähert sich Elli.*

93. Szene

MARIA *zu Elli:* So sei doch nicht so damisch*!   (bayr.) dumm
ELLI Nein. Ich tue da nicht mit.
SPEER *lauscht, hört aber nichts.*
MARIA Das habe ich gern – – zuerst bist frech und heraus-
   fordernd zu den Herren der Schöpfung, aber dann ziehst
   du den Schwanz ein! So sei doch nicht so feig. Wir krie-
   gen ja zehn Mark. Du fünf und ich fünf. Denk doch auch
   ein bißchen an deine Zahlungsbefehle.
   Stille.
ELLI Aber der alte Sauhund ist doch ganz pervers.
MARIA Geh das ist doch nur Munderotik!
SPEER *senil:* Elli! Elli! Ellile – – Ellile – –
MARIA Komm, sei friedlich – – *Sie führt Elli zu Speer und
   ab.*

94. Szene

Nun ist wieder eine Zeit lang kein Mensch zu sehen und das Orchester fährt fort mit dem Militärmarsch 1822 von Schubert; dann kommt Rauch mit Karoline; sie halten vor seinem feudalen Kabriolett und er sucht den Schlüssel; und das Orchester bricht wieder mitten im Takt ab.

95. Szene

KAROLINE Das ist doch da ein Austro-Daimler?

RAUCH Erraten! Bravo!

KAROLINE Mein ehemaliger Bräutigam hat auch einen ⌐Austro-Daimler⌐ gefahren. Er war nämlich ein Chauffeur. Ein komischer Mensch. Zum Beispiel vor drei Monaten da wollten wir zwei eine Spritztour machen, hinaus in das Grüne – – und da hat er einen Riesenkrach mit einem Kutscher bekommen, weil der seinen Gaul geprügelt hat. Denkens, wegen einem Gaul! Und dabei ist er selbst doch ein Chauffeur. Man muß das schon zu würdigen wissen.

RAUCH *hatte endlich seinen Schlüssel gefunden und öffnet nun die Wagentüre:* Darf man bitten, Gnädigste – –

96. Szene

KASIMIR *kommt mit Erna wieder vorbei; er erblickt Karoline – – sie erkennen und fixieren sich.*

97. Szene

KAROLINE *läßt Rauch stehen und hält dicht vor Kasimir:*
Lebe wohl, Kasimir.

KASIMIR Lebe wohl.

KAROLINE Ja. Und viel Glück.

KASIMIR Prost.
Stille.

KAROLINE Ich fahre jetzt nach Altötting.

KASIMIR Mahlzeit.
Stille.

KASIMIR Das ist ein schönes Kabriolett dort. Akkurat so
ein ähnliches bin ich auch einmal gefahren. Noch vorgestern.

RAUCH Darf man bitten, Gnädigste!

KAROLINE *läßt Kasimir langsam stehen und steigt mit
Rauch ein – – und bald ist kein Kabriolett mehr zu sehen.*

98. Szene

KASIMIR *sieht dem verschwundenen Kabriolett nach; er
imitiert Rauch:* Darf man bitten, Gnädigste – –
Dunkel.

99. Szene

*Und wieder setzt das Orchester mit dem Militärmarsch
1822 von Schubert ein und spielt ihn zu Ende.*

100. Szene

Neuer Schauplatz:
Vor der Sanitätsstation auf der Oktoberfestwiese.
Ein Sanitäter bemüht sich um Rauch, der auf einer Bank
vor der Sanitätsbaracke sitzt und umständlich zwei Pillen
mit Wasser schluckt. Karoline ist auch dabei.
Und die Luft ist noch immer voll Wiesenmusik.

101. Szene

KAROLINE *beobachtet Rauch:* Geht es Ihnen schon besser?
RAUCH *gibt keine Antwort, sondern legt sich rücklings auf*
   die Bank.
DER SANITÄTER Es geht ihm noch nicht besser, Fräulein.
   Stille.
KAROLINE ⌐Eigentlich haben wir ja nur nach Altötting fahren wollen⌐, aber dann ist es ihm plötzlich schlecht geworden, dem Herrn Kommerzienrat – – der Speichel ist
   ihm aus dem Munde heraus und wenn ich nicht im letzten Moment gebremst hätte, dann wären wir jetzt vielleicht schon hinüber.
DER SANITÄTER Alsdann verdankt er Ihnen sein Leben.
KAROLINE Wahrscheinlich.
DER SANITÄTER Logischerweise. Indem daß Sie gebremst
   haben.
KAROLINE Ja ich kenne mich aus mit der Fahrerei, weil
   mein ehemaliger Bräutigam ein Chauffeur gewesen ist.

Lied aus Franz
Lehárs (1870–
1948)
Operette *Der
Graf von
Luxemburg*
(1909)

102. Szene

Nun intoniert das Orchester piano den Walzer »Bist dus
lachendes Glück?«* und aus der Sanitätsbaracke treten

⌐Oktoberfestbesucher mit verbundenen Köpfen und Glied-
maßen⌐, benommen und humpelnd – – auch der Liliputaner und der Ausrufer befinden sich unter ihnen. Alle ver-
ziehen sich nach Hause und dann bricht das Orchester den
Walzer wieder ab, und zwar mitten im Takt.*

103. Szene

KAROLINE *leise:* Herr Sanitäter. Was ist denn passiert?
Eine Katastrophe?
DER SANITÄTER Warum?
KAROLINE Ist denn die Achterbahn eingestürzt?
DER SANITÄTER Weit gefehlt! Nur eine allgemeine Raufe-
rei hat stattgefunden.
KAROLINE Wegen was?
DER SANITÄTER Wegen nichts.
Stille.
KAROLINE Wegen nichts. ⌐Die Menschen sind halt wilde
Tiere.⌐
DER SANITÄTER Sie werden sie nicht ändern.
KAROLINE Trotzdem.
Stille.
DER SANITÄTER Angeblich hat da so ein alter ⌐Casanova⌐
mit zwei Fräuleins in ein Mietauto einsteigen wollen
und dabei ist er von einigen Halbwüchsigen belästigt
worden. Angeblich soll der eine Halbwüchsige seinen
Schuh ausgezogen haben und selben dem alten Casanova unter die Nase gehalten haben, damit daß der daran riechen soll – – aber der hat halt nicht riechen wollen
und da soll ihm ein anderer Halbwüchsiger einen Schlag
in das Antlitz versetzt haben. Das Resultat war halt, daß
in null Komma null hundert Personen gerauft haben,
keiner hat mehr gewußt, was los ist, aber ein jeder hat
nur um sich geschlagen. Die Leut sind halt alle nervös
und vertragen nichts mehr.

104. Szene

⌜DER ARZT⌝ *erscheint in der Türe der Sanitätsbaracke:*
Sind die Tragbahren noch nicht da?

DER SANITÄTER Noch nicht, Herr Doktor.

DER ARZT Also wir haben sechs Gehirnerschütterungen,
einen Kieferbruch, vier Armbrüche, davon einer kom-
pliziert, und das andere sind Fleischwunden. Ein schö-
ner Saustall sowas! Deutsche gegen Deutsche! *Ab.*

105. Szene

KAROLINE Kieferbruch – – oh das muß weh tun.

DER SANITÄTER Heutzutag ist das halb so schlimm in An-
betracht unserer Errungenschaften.

KAROLINE Aber gezeichnet bist du für dein ganzes Leben,
als hätte man dir ein Ohr abgeschnitten. Besonders als
Frau.

DER SANITÄTER Das ist aber keine Frau, dem sie da den
Kiefer zerschlagen haben, sondern das ist akkurat be-
sagter alter Casanova.

KAROLINE Dann ist es schon gut.

DER SANITÄTER Es ist das sogar ein hoher Justizmann. Aus
Norddeutschland. Ein gewisser Speer.

RAUCH *hatte gehorcht und brüllt nun:* Was?! *Er erhebt
sich.* Speer? Casanova? Justiz!? *Er faßt sich an das Herz.
Stille.*

KAROLINE Regens Ihnen nur nicht auf, Herr Kommerzienrat – –

RAUCH *fährt sie an:* Was stehens denn da noch herum,
Fräulein? Leben Sie wohl! Habe die Ehre! Adieu!
Stille.

RAUCH Kieferbruch. Armer alter Kamerad – – Diese Sau-
weiber. Nicht mit der Feuerzange. Dreckiges Pack. Ausrotten. Ausrotten – – alle!

KAROLINE Das habe ich mir nicht verdient um Sie, Herr
Kommerzienrat – –

RAUCH Verdient? Das auch noch?
Stille.

KAROLINE Ich habe Ihnen das Leben gerettet.

RAUCH Das Leben?
Stille.

RAUCH *grinst.* Tät Ihnen so passen – –
Stille.

RAUCH Adieu. *Zum Sanitäter.* Wo liegt er denn, der Herr
Landgerichtsdirektor? Noch da drinnen?

DER SANITÄTER Zu Befehl, Herr Kommerzienrat!

106. Szene

RAUCH *nähert sich langsam der Sanitätsbaracke – – da
erscheinen Elli und Maria in der Türe, und zwar Maria
mit dem Arm in der Schlinge und Elli mit dick verbun-
denem Auge. Maria erkennt Rauch und fixiert ihn – –
auch Rauch erkennt sie und hält momentan.*

107. Szene

MARIA *grinst:* Ah, der Herr Nachttopf – – Schau Elli,
schau – –

ELLI *hebt den Kopf und versucht zu schauen:* Au mein
Auge!
Stille.

RAUCH *richtet seine Krawatte und geht an Elli und Maria
vorbei in die Sanitätsbaracke.*

KAROLINE *kreischt plötzlich:* Auf Wiedersehen, ⌐Herr
Nachttopf!⌐
Dunkel.

108. Szene

Nun spielt das Orchester den Walzer »Bist dus lachendes Glück?«

109. Szene

Neuer Schauplatz:
Wieder auf dem Parkplatz, aber an einer anderen Stelle, dort wo die Fahnen der ⌜Ausstellung⌝ schon sichtbar werden. Kasimir und Erna gehen noch immer auf und ab – – plötzlich hält Kasimir. Und Erna auch.

110. Szene

KASIMIR Wo steckt denn der Merkl?

ERNA Der wird schon irgendwo stecken.
  Stille.

KASIMIR Und wo das Fräulein Karoline jetzt steckt, das ist mir wurscht.

ERNA Nein das wäre keine Frau für Sie. Ich habe mir dafür einen Blick erworben.

KASIMIR So ein Weib ist ein Auto, bei dem nichts richtig funktioniert – – immer gehört es repariert. Das Benzin ist das Blut und der Magnet das Herz – – und wenn der Funke zu schwach ist, entsteht eine Fehlzündung – – und wenn zuviel Öl drin ist, dann raucht er und stinkt er – –

ERNA Was Sie für eine Phantasie haben. Das haben nämlich nur wenige Männer. Zum Beispiel der Merkl hat keine. Überhaupt haben Sie schon sehr recht, wenn Sie das sagen, daß der Merkl mich ungerecht behandelt – – Nein! Das laß ich mir auch nicht weiter bieten – – *Sie schreit plötzlich unterdrückt auf.* Jesus Maria Josef!

Merkl! Franz! Jesus Maria – – *Sie hält sich selbst den*
Mund zu und wimmert.

KASIMIR Was ist denn los?

ERNA Dort – – sie haben ihn. Franz! Sehens die beiden
Kriminaler – – Verzeih mir das, Franz! – – Nein, ich
schimpfe nicht, ich schimpfe nicht – –
Stille.

KASIMIR An allem ist nur dieses Luder* schuld. Diese
Schnallen*. Dieses Fräulein Karoline!

ERNA Er wehrt sich gar nicht – – geht einfach mit – – – –
Sie setzt sich auf die Bank. Den seh ich nimmer.

KASIMIR Geh den werdens doch nicht gleich hinrichten!

ERNA Das kommt auf dasselbe hinaus. Weil er doch schon
oft vorbestraft ist – – da hauns ihm jetzt fünf Jahr Zucht-
haus* hinauf wie nichts – – und dann kommt er nicht
mehr heraus, weil er sich ja während seiner Vorstrafen
schon längst eine ⌐Tuberkulose⌐ geholt hat – – – – Der
kommt nicht mehr heraus!
Stille.

KASIMIR Sind Sie auch vorbestraft?

ERNA Ja.

KASIMIR *setzt sich neben Erna.*
Stille.

ERNA Was glauben Sie, wie alt daß ich bin?

KASIMIR Fünfundzwanzig.

ERNA Zwanzig.

KASIMIR Wir sind halt heutzutag alle älter als wie wir sind.
Stille.

KASIMIR Dort kommt jetzt der Merkl.

ERNA *zuckt zusammen:* Wo?
Stille.

(Marginalien:)
durchtrie-
bene, kokette
weibliche
Person
(bayr.
Schimpfwort)
Hure, Nutte

Höchststrafe
nach § 242
StGB für einfa-
chen Diebstahl

111. Szene

Der Merkl Franz geht nun mit einem Kriminaler vorbei, an dessen Handgelenk er gefesselt ist – – er wirft noch einen letzten Blick auf Erna.

112. Szene

Stille.

ERNA Der arme Franz. Der arme Mensch – –

KASIMIR So ist das Leben.

ERNA Kaum fängt man an, schon ist es vorbei.

Stille.

KASIMIR Ich habe es immer gesagt, daß so kriminelle Aktionen keinen Sinn haben – – Mir scheint, ich werde mir den armen Merkl Franz als warnendes Beispiel vor Augen halten.

ERNA Lieber stempeln.

KASIMIR Lieber hungern.

ERNA Ja.

Stille.

ERNA Ich hab es ja dem armen Franz gesagt, daß er Sie in Ruhe lassen soll, weil ich das gleich im Gefühl gehabt habe, daß Sie anders sind – – darum hat er mir ja auch das Bier ins Gesicht geschüttet.

KASIMIR Darum?

ERNA Ja. Wegen Ihnen.

KASIMIR Das ist mir neu. Daß Sie da wegen mir – – Verdiene ich denn das überhaupt?

ERNA Das weiß ich nicht.

Stille.

KASIMIR Ist das jetzt der Große Bär dort droben?

Vgl. Erl. zu 19,7–8 ERNA Ja. Und das dort ist der Orion*.

KASIMIR Mit dem Schwert.

ERNA *lächelt leise:* Wie Sie sich das gemerkt haben – –
   Stille.
KASIMIR *starrt noch immer in den Himmel:* Die Welt ist
   halt unvollkommen.
ERNA Man könnt sie schon etwas vollkommener machen.
KASIMIR Sind Sie denn auch gesund? Ich meine jetzt, ob
   Sie nicht auch etwa die Tuberkulose haben von diesem
   armen Menschen?
ERNA Nein. Soweit bin ich ganz gesund.
   Stille.
KASIMIR Ich glaub, wir sind zwei verwandte Naturen.
ERNA Mir ist auch, als täten wir uns schon lange kennen.
   Stille.
KASIMIR Wie hat er denn geheißen, Ihr toter Bruder?
ERNA Ludwig. ⌈Ludwig Reitmeier.⌉
   Stille.
KASIMIR Ich war mal Chauffeur, bei einem gewissen Reit-
   meier. Der hat ein Wollwarengeschäft gehabt. En gros*.
   Er legt seinen Arm um ihre Schultern.

(franz.) hier:
Großhandel

ERNA *legt ihren Kopf an seine Brust:* Dort kommt jetzt die
   Karoline.

113. Szene

KAROLINE *kommt und sieht sich suchend um – – erblickt
   Kasimir und Erna, nähert sich langsam und hält dicht
   vor der Bank:* Guten Abend, Kasimir.
   Stille.
KAROLINE So schau doch nicht so ironisch.
KASIMIR Das kann jede sagen.
   Stille.
KAROLINE Du hast schon recht.
KASIMIR Wieso hernach?
KAROLINE Eigentlich hab ich ja nur ein Eis essen wollen – –

aber dann ist der Zeppelin vorbeigeflogen und ich bin mit der Achterbahn gefahren. Und dann hast du gesagt, daß ich dich automatisch verlasse, weil du arbeitslos bist. Automatisch, hast du gesagt.

KASIMIR Jawohl, Fräulein.

Stille.

KAROLINE Ich habe es mir halt eingebildet, daß ich mir einen rosigeren Blick in die Zukunft erringen könnte – – und einige Momente habe ich mit allerhand Gedanken gespielt. Aber ich müßte so tief unter mich hinunter, damit ich höher hinauf kann. Zum Beispiel habe ich dem Herrn Kommerzienrat das Leben gerettet, aber er hat nichts davon wissen wollen.

KASIMIR Jawohl, Fräulein.

Stille.

KAROLINE Du hast gesagt, daß der Herr Kommerzienrat mich nur zu seinem Vergnügen benützen möchte und daß ich zu dir gehöre – – und da hast du schon sehr recht gehabt.

KASIMIR Das ist mir jetzt wurscht! Jetzt bin ich darüber hinaus, Fräulein! Was tot ist, ist tot und es gibt keine Gespenster, besonders zwischen den Geschlechtern nicht!

Stille.

KAROLINE *gibt ihm plötzlich einen Kuß.*

KASIMIR Zurück! Brrr! Pfui Teufel! *Er spuckt aus.* Brrr!

ERNA Ich versteh das gar nicht, wie man als Frau so wenig Feingefühl haben kann!

KAROLINE *zu Kasimir:* Ist das die neue Karoline?

KASIMIR Das geht dich einen Dreck was an, Fräulein!

KAROLINE Und den Merkl Franz betrügen, ist das vielleicht ein Feingefühl?!

ERNA Der Merkl Franz ist tot, Fräulein.

Stille.

KAROLINE Tot? *Sie lacht – – verstummt aber plötzlich; ge-*

hässig zu Erna. Und das soll ich dir glauben, du Zucht-
häuslerin?

KASIMIR Geh halts Maul und fahr ab.

ERNA *zu Kasimir:* So lasse sie doch. Sie weiß ja nicht, was
sie tut.
Stille.

114. Szene

KAROLINE *vor sich hin:* ⌜Man hat halt oft so eine Sehnsucht in sich⌝ – – aber dann kehrt man zurück mit gebrochenen Flügeln und das Leben geht weiter, als wär
man nie dabei gewesen – –

*Das Leben kümmert nicht um mich an.
Sie tut sich selbst leid.*

115. Szene

SCHÜRZINGER *erscheint, und zwar aufgeräumt – –* ⌜*mit
einem Luftballon an einer Schnur*⌝ *aus seinem Knopf-
loch; er erblickt Karoline:* Ja wen sehen denn meine ent-
zündeten Augen? Das ist aber schon direkt Schicksal*,   Vgl. Erl. zu
daß wir uns wiedertreffen. Karoline! Übermorgen wird   13,9
der Leutnant Eugen Schürzinger ein Oberleutnant Eugen Schürzinger sein – – und zwar in der Armee Seiner
Majestät Ludwigs des Fünfzehnten* – – und das verdan-   Vgl. Erl. zu
ke ich dir.   56,6

KAROLINE Aber das muß ein Irrtum sein.

SCHÜRZINGER Lächerlich!
Stille.

KAROLINE Eugen. Ich habe dich vor den Kopf gestoßen
und das soll man nicht, weil man alles zurückgezahlt
bekommt – –

SCHÜRZINGER Du brauchst einen Menschen, Karoline – –

KAROLINE Es ist immer der gleiche Dreck.

SCHÜRZINGER   Pst! Es geht immer besser und besser.
KAROLINE   Wer sagt das?
SCHÜRZINGER   ⌐Coué.⌐
   Stille.
SCHÜRZINGER   Also los. Es geht besser – –
KAROLINE   *sagt es ihm tonlos nach:* Es geht besser – –
SCHÜRZINGER   Es geht immer besser, immer besser – –
KAROLINE   Es geht immer besser, besser – – immer besser
   – –
SCHÜRZINGER   *umarmt sie und gibt ihr einen langen Kuß.*
KAROLINE   *wehrt sich nicht.*
SCHÜRZINGER   Du brauchst wirklich ⌐einen Menschen⌐.
KAROLINE   *lächelt:* Es geht immer besser – –
SCHÜRZINGER   Komm – – *Ab mit ihr.*

116. Szene

KASIMIR   ⌐Träume sind Schäume.⌐
ERNA   Solange wir uns nicht aufhängen, werden wir nicht
   verhungern.
   Stille.
KASIMIR   Du Erna – –
ERNA   Was?
KASIMIR   ⌐Nichts.⌐
   Stille.

117. Szene

ERNA   ⌐*singt leise*⌐ – – *und auch Kasimir singt allmählich
   mit:*
   ⌐Und blühen einmal die Rosen⌐
   Wird das Herz nicht mehr trüb
   Denn die Rosenzeit ist ja

Die Zeit für die Lieb
Jedes Jahr kommt der Frühling
Ist der Winter vorbei
Nur der Mensch hat alleinig
⌈Einen einzigen Mai.⌉

ENDE

Anhang

Gebrauchsanweisung

Das dramatische Grundmotiv aller meiner Stücke ist der ewige Kampf
zwischen Bewußtsein und Unterbewußtsein.

Ich hatte mich bis heute immer heftig dagegen gesträubt,
mich in irgendeiner Form über meine Stücke zu äußern – –
nämlich ich bin so naiv gewesen, und bildete es mir ein, daß
man (Ausnahmen bestätigen leider die Regel) meine Stücke
auch ohne Gebrauchsanweisung verstehen wird. Heute
gebe ich es unumwunden zu, daß dies ein grober Irrtum
gewesen ist, daß ich gezwungen werde, eine Gebrauchsanweisung zu schreiben.

Erstens bin ich daran schuld, denn: ich dachte, daß viele
Stellen, die doch nur eindeutig zu verstehen sind, verstanden werden müßten, dies ist falsch – – es ist mir öfters nicht
restlos gelungen, die von mir angestrebte Synthese zwischen Ironie und Realismus zu gestalten. Zweitens: es liegt
an den Aufführungen – – alle meine Stücke sind bisher
nicht richtig im Stil gespielt worden, wodurch eine Unzahl
von Mißverständnissen naturnotwendig entstehen mußte.
Daran ist niemand vom Theater schuld, kein Regisseur und
kein Schauspieler, dies möchte ich ganz besonders betonen
– – sondern nur ich allein bin schuld. Denn ich überließ die
Aufführung ganz den zuständigen Stellen – – aber nun sehe
ich klar, nun weiß ich es genau, wie meine Stücke gespielt
werden müssen.

Drittens liegt die Schuld am Publikum, denn: es hat sich
leider entwöhnt auf das Wort im Drama zu achten, es sieht
oft nur die Handlung – – es sieht wohl die dramatische
Handlung, aber den dramatischen Dialog hört es nicht
mehr. Jedermann kann bitte meine Stücke nachlesen: es ist
keine einzige Szene in ihnen, die nicht dramatisch wäre – –
unter dramatisch verstehe ich nach wie vor den Zusam-
menstoß zweier Temperamente – – die Wandlungen usw.

In jeder Dialogszene wandelt sich eine Person. Bitte nachlesen! Daß dies bisher nicht herausgekommen ist, liegt an den Aufführungen. Aber auch an dem Publikum.

Denn letzten Endes ist ja das Wesen der Synthese aus Ernst und Ironie die Demaskierung des Bewußtseins. Sie erinnern sich vielleicht an einen Satz in meiner »Italienischen Nacht«, der da lautet: »Sie sehen sich alle so fad gleich und werden gern so eingebildet selbstsicher.« Das ist mein Dialog.

Aus all dem geht es schon hervor, daß Parodie nicht mein Ziel sein kann – – es wird mir oft Parodie vorgeworfen, das stimmt aber natürlich in keiner Weise. Ich hasse die Parodie! Satire und Karikatur – – ab und zu ja. Aber die satirischen und karikaturistischen Stellen in meinen Stücken kann man an den fünf Fingern herzählen – – Ich bin kein Satiriker, meine Herrschaften, ich habe kein anderes Ziel, als wie dies: Demaskierung des Bewußtseins.

Keine Demaskierung eines Menschen, einer Stadt – – das wäre ja furchtbar billig! Keine Demaskierung auch des Süddeutschen natürlich – – ich schreibe ja auch nur deshalb süddeutsch, weil ich anders nicht schreiben kann.

Diese Demaskierung betreibe ich aus zwei Gründen: erstens, weil sie mir Spaß macht – – zweitens, weil infolge meiner Erkenntnisse über das Wesen des Theaters, über seine Aufgabe und zu guter Letzt Aufgabe jeder Kunst ist folgendes – – (und das dürfte sich nun schon allmählich herumgesprochen haben) – – die Leute gehen ins Theater, um sich zu unterhalten, um sich zu erheben, um eventuell weinen zu können, oder um irgendetwas zu erfahren. Es gibt also Unterhaltungstheater, ästhetische Theater und pädagogische Theater. Alle zusammen haben eines gemeinsam: sie nehmen dem Menschen in einem derartigen Maße das Phantasieren ab, wie kaum eine andere Kunst – – Die Phantasie ist bekanntlich ein Ventil für Wünsche – – bei näherer Betrachtung werden es wohl asoziale Triebe sein, noch dazu meist höchst primitive. Im Theater findet also der Besucher zugleich das Ventil wie auch Befriedigung (durch das Erlebnis) seiner asozialen Triebe.

Es wird ein Kommunist auf der Bühne ermordet, in feiger Weise von einer Überzahl von Bestien. Die kommunistischen Zuschauer sind voll Haß und Erbitterung gegen die Weißen – – sie leben aber eigentlich das mit und morden mit und die Erbitterung und der Haß steigert sich, weil er sich gegen die eigenen asozialen Wünsche richtet. Beweis: es ist doch eigenartig, daß Leute ins Theater gehen, um zu sehen, wie ein (anständiger) Mensch umgebracht wird, der ihnen gesinnungsgemäß nahe steht – – und dafür Eintritt bezahlen und hernach in einer gehobenen weihevollen Stimmung das Theater verlassen. Was geht denn da vor, wenn nicht ein durchs Miterleben mitgemachter Mord? Die Leute gehen aus dem Theater mit weniger asozialen Regungen heraus, wie hinein. (Unter asozial verstehe ich Triebe, die auf einer kriminellen Basis beruhen – – und nicht etwa Bewegungen, die gegen eine Gesellschaftsform gerichtet sind – – ich betone das extra, so ängstlich bin ich schon geworden, durch die vielen Mißverständnisse).

Dies ist eine vornehme pädagogische Aufgabe des Theaters. Und das Theater wird nicht untergehen, denn die Menschen werden in diesen Punkten immer lernen wollen – – ja je stärker der Kollektivismus wird, umso größer wird die Phantasie. Solange man um den Kollektivismus kämpft, natürlich noch nicht, aber dann — ich denke manchmal schon an die Zeit, die man mit proletarischer Romantik bezeichnen wird. (Ich bin überzeugt, daß sie kommen wird.)

Mit meiner Demaskierung des Bewußtseins, erreiche ich natürlich eine Störung der Mordgefühle – – daher kommt es auch, daß Leute meine Stücke oft ekelhaft und abstoßend finden, weil sie eben die Schandtaten nicht so miterleben können. Sie werden auf die Schandtaten gestoßen – –

sie fallen ihnen auf und erleben sie nicht mit. Es gibt für mich ein Gesetz und das ist die Wahrheit.

Ich habe Verständnis dafür, wenn jemand fragt – – Lieber Herr, warum nennen Sie denn Ihre Stücke Volksstücke? Auch hierauf will ich heute antworten, damit ich mit derlei Sachen für längere Zeit meine Ruhe habe. Also: das kommt so.

Vor sechs Jahren schrieb ich mein erstes Stück »Die Bergbahn«, und gab ihm den Untertitel und Artbezeichnung: »Ein Volksstück«. Die Bezeichnung Volksstück war bis dahin in der jungen dramatischen Produktion in Vergessenheit geraten. Natürlich gebrauchte ich diese Bezeichnung nicht willkürlich, das heißt: nicht einfach deswegen, weil das Stück ein bayerisches Dialektstück ist und die Personen Streckenarbeiter sind, sondern deshalb, weil mir so etwas wie eine Fortsetzung, Erneuerung des alten Volksstückes vorgeschwebt ist – – also eines Stückes, in dem Probleme auf eine möglichst volkstümliche Art behandelt und gestaltet werden, Fragen des Volkes, seine einfachen Sorgen, durch die Augen des Volkes gesehen. Ein Volksstück, das im besten Sinne bodenständig ist und das vielleicht wieder Anderen Anregung gibt, eben auch in dieser Richtung weiter mitzuarbeiten – – um ein wahrhaftiges Volkstheater aufzubauen, das an die Instinkte und nicht an den Intellekt des Volkes appelliert.

Zu einem Volksstück, wie zu jedem Stück, ist es aber unerläßlich, daß ein Mensch auf der Bühne steht. Ferner: der Mensch wird erst lebendig durch die Sprache.

Nun besteht aber Deutschland, wie alle übrigen europäischen Staaten zu neunzig Prozent aus vollendeten oder verhinderten Kleinbürgern, auf alle Fälle aus Kleinbürgern. Will ich also das Volk schildern, darf ich natürlich nicht nur die zehn Prozent schildern, sondern als treuer Chronist meiner Zeit, die große Masse. Das ganze Deutschland muß es sein!

Es hat sich nun durch das Kleinbürgertum eine Zersetzung der eigentlichen Dialekte gebildet, nämlich durch den Bildungsjargon. Um einen heutigen Menschen realistisch schildern zu können, muß ich also den Bildungsjargon sprechen lassen. Der Bildungsjargon (und seine Ursachen) fordert aber natürlich zur Kritik heraus – – und so entsteht der Dialog des neuen Volksstückes, und damit der Mensch, und damit erst die dramatische Handlung – – eine Synthese aus Ernst und Ironie.

Mit vollem Bewußtsein zerstöre ich nun das alte Volksstück, formal und ethisch – – und versuche die neue Form des Volksstückes zu finden. Dabei lehne ich mich mehr an die Tradition der Volkssänger an und Volkskomiker an, denn an die Autoren der klassischen Volksstücke. Und nun kommen wir bereits zu dem Kapitel Regie.

Ich will nun versuchen hauptsächlich möglichst nur praktische Anweisungen zu geben: (diese gelten für alle meine Stücke, außer der »Bergbahn«). Bei Ablehnung auch nur eines dieser Punkte durch die Regie, ziehe ich das Stück zurück, denn dann ist es verfälscht.

Zu den Todsünden der Regie zählt folgendes:

1. Dialekt. Es darf kein Wort Dialekt gesprochen werden! Jedes Wort muß hochdeutsch gesprochen werden, allerdings so, wie jemand, der sonst nur Dialekt spricht und sich nun zwingt, hochdeutsch zu reden. Sehr wichtig! Denn es gibt schon jedem Wort dadurch die Synthese zwischen Realismus und Ironie. Komik des Unterbewußten. Klassische Sprecher. Vergessen Sie nicht, daß die Stücke mit dem Dialog stehen und fallen!

2. In meinen sämtlichen Stücken ist keine einzige parodistische Stelle! Sie sehen ja auch oft im Leben jemand, der als seine eigene Parodie herumlauft – – so ja, anders nicht!

3. Satirisches entdecke ich in meinen Stücken auch recht wenig. Es darf auch niemand als Karikatur gespielt werden, außer einigen Statisten, die gewissermaßen als Büh-

nenbild zu betrachten sind. Das Bühnenbild auch möglichst bitte nicht karikaturistisch – – möglichst einfach bitte, vor einem Vorhang, mit einer wirklich primitiven Landschaft, aber schöne Farben bitte.

4. Selbstverständlich müssen die Stücke stilisiert gespielt werden, Naturalismus und Realismus bringen sie um – – denn dann werden es Milljöhbilder und keine Bilder, die den Kampf des Bewußtseins gegen das Unterbewußtsein zeigen – – das fällt unter den Tisch. Bitte achten Sie genau auf die Pausen im Dialog, die ich mit »Stille« bezeichne – – hier kämpft das Bewußtsein oder Unterbewußtsein miteinander, und das muß sichtbar werden.

5. In dem so stilisiert gesprochenen Dialog, gibt es Ausnahmen – – einige Sätze, nur ein Satz manchmal, der plötzlich ganz realistisch, ganz naturalistisch gebracht werden muß.

6. Alle meine Stücke sind Tragödien – – sie werden nur komisch, weil sie unheimlich sind. Das Unheimliche muß da sein.

7. Es muß jeder Dialog herausgehoben werden – ein stummes Spiel der anderen, ist streng untersagt. Sehen Sie sich die Volkssängertruppen an. Zum Beispiel im ersten Bild beim Zeppelin: keine Statisten – – einzelne Leute mit angeklebten Bärten, Dicke, Dünne, Kinder, Elli und Maria, usw. müssen zusehen – – ohne Bewegung, nur die Sprecher selbst, die nicht. Von dem Verschwinden des Zeppelins ab, haben alle die Bühne zu verlassen, nur Kasimir und Karoline nicht – – der Eismann kommt nur, wenn man ihn braucht, tritt er an den Kasten – – wenn Kasimir den Lukas haut, kommen die Leute herein, sehen stumm zu, wie das auf dem Bolzen hinaufläuft, gehen wieder ab.

Stilisiert muß gespielt werden, damit die wesentliche Allgemeingültigkeit dieser Menschen betont wird – – man kann es gar nicht genug überbetonen, sonst merkt es keiner, die realistisch zu bringenden Stellen im Dialog und

Monolog sind die, wo ganz plötzlich ein Mensch sichtbar wird – – wo er dasteht, ohne jede Lüge, aber das sind naturnotwendig nur ganz wenig Stellen.

8. Innerhalb dieses stilisierten Spieles gibt es natürlich Gradunterschiede, so zum Beispiel:

Erste Gruppe (am wenigsten stilisiert):

Kasimir

Karoline

Erna

Zweite Gruppe:

Schürzinger

Rauch

Speer

Elli

Dritte Gruppe:

Maria

und alle Übrigen

Karikaturistisch:

die Statisten und die Abnormitäten.

Dieser Stil ist das Resultat praktischer Arbeit und Erfahrung, und kein theoretisches Postulat. Und er erhebt keinen Anspruch auf Allgemeingültigkeit, er gilt vor allem nur für meine Stücke.

Kommentar

Zeittafel

1901 Edmund (Ödön) Josef von Horváth wird am 9. Dezember als erster Sohn des Diplomaten Dr. Edmund Josef
von Horváth (1874–1950) und Maria Hermine, geb.
Prehnal (1882–1959) in Sušak, einem Vorort von Fiume,
dem heutigen Rijeka, geboren. Horváth beschreibt seine
Herkunft später folgendermaßen: »Sie fragen mich nach
meiner Heimat, ich antworte: ich wurde in Fiume geboren, bin in Belgrad, Budapest, Preßburg, Wien und München aufgewachsen und habe einen ungarischen Paß –
aber: ›Heimat‹? Kenn ich nicht. Ich bin eine typisch alt-
österreichisch-ungarische Mischung: magyarisch, kroa-
tisch, deutsch, tschechisch – mein Name ist magyarisch,
meine Muttersprache ist deutsch« (Bd. 11, S. 184).

1902 Familie Horváth zieht nach Belgrad um, wo ein Jahr später der Bruder Lajos von Horváth zur Welt kommt.

1908 Umzug der Familie Horváth nach Budapest, wo ein
Hauslehrer Ödön in ungarischer Sprache unterrichtet.

1909 Sein Vater, im Frühjahr in den Adelsstand erhoben, wird
im Herbst nach München versetzt; doch Ödön selbst
bleibt in Budapest und besucht dort das erzbischöfliche
Internat.

1913 Ödön zieht zu den Eltern und besucht die dritte Klasse
des Kaiser-Wilhelm-Gymnasiums, ehe er im folgenden
Jahr auf das Realgymnasium wechselt. Seine Zensuren
sind nicht die besten (vgl. Mat. IV, S. 32), überdies
kommt es mit dem Religionslehrer Dr. Heinzinger zu Dif-
ferenzen, die sich später in Horváths Werk niederschlagen. Im Rückblick auf diese Jahre schreibt Horváth:
»Während meiner Schulzeit wechselte ich viermal die Un-
terrichtssprache und besuchte fast jede Klasse in einer
anderen Stadt. Das Ergebnis war, daß ich keine Sprache
ganz beherrschte. Als ich das erste Mal nach Deutschland
kam, konnte ich keine Zeitung lesen, da ich keine goti-
schen Buchstaben kannte, obwohl meine Muttersprache
die deutsche ist. Erst mit vierzehn [!] Jahren schrieb ich
den ersten deutschen Satz« (Bd. 11, S. 183).

1915   Sein Vater wird von der Front abberufen und erneut nach München beordert. Später schreibt Ödön über diese Jahre: »An die Zeit vor 1914 erinnere ich mich nur, wie an ein langweiliges Bilderbuch. Alle meine Kindheitserlebnisse habe ich im Kriege vergessen. Mein Leben beginnt mit der Kriegserklärung« (ebd.).

1916   Umzug der Familie nach Preßburg, wo Ödön wieder eine ungarische Schule besucht. Er beginnt zu schreiben, doch nur das Gedicht »Luci in Macbeth. Eine Zwerggeschichte von Ed. v. Horváth« bleibt erhalten.

1918   Vor Kriegsende wird der Vater erneut nach Budapest berufen, so dass Ödön die Nachkriegswirren in der ungarischen Hauptstadt erlebt, sich dort stark für die machtpolitischen Kämpfe interessiert und sich schließlich im Galilei-Kreis engagiert, einer Gruppe junger Leute, die mit Begeisterung die national-revolutionären Werke von Endre Ady (1877–1919) liest.

1919   Während der Vater im Frühjahr zurück nach München versetzt wird, kommt Ödön in die Obhut seines Onkels Josef Prehnal (1875–1929) – dem Vorbild des Rittmeisters in *Geschichten aus dem Wiener Wald* – in Wien, wo er das Privatgymnasium der Salvatorianer besucht. Nach dem Abitur im Sommer zieht auch er wieder nach München, immatrikuliert sich im Herbst an der Ludwig-Maximilians-Universität und besucht psychologische, literatur-, theater- und kunstwissenschaftliche Seminare bis zum Wintersemester 1921/22.

1920   Ödön beginnt Gedichte zu schreiben. Daneben lernt er »durch einen Zufall« (Bd. 11, S. 199) den Komponisten Siegfried Kallenberg (1867–1944) kennen, auf dessen Anregung die Pantomime *Das Buch der Tänze* entsteht. Über seinen Werdegang als »Literat« berichtet er später in einem Radiointerview: »Ich besuchte 1920 in München die Universität und hatte, wie man so zu sagen pflegt, Interesse an der Kunst, hatte mich selber aber in keiner Weise noch irgendwie künstlerisch betätigt – nach außen hin – innerlich, mit dem Gedanken schon, da sagte ich mir: Du könntest doch eigentlich Schriftsteller werden, du gehst doch zum Beispiel gern ins Theater, hast bereits allerhand erlebt, du widersprichst gern, fast dauernd, und dieser eigentümliche Drang, das was man so sieht und erlebt und vor allem: was man sich einbildet, daß es die Anderen erleben, niederzuschreiben, den hast du auch – und dann weißt du auch, daß man nie Konzessionen machen darf und daß es dir immer schon gleichgültig war, was die Leute über dich geredet haben – und so hatte ich eigentlich schon auch das, was pathetische Naturen als die ›Erkenntnis einer dichterischen Mission‹ bezeichnen« (ebd., S. 198 f.).

1922 *Das Buch der Tänze* wird mit zwei anderen Werken konzertant aufgeführt und erscheint anschließend in einer Auflage von 500 Exemplaren im Münchner El Schahin-Verlag. 1926 kauft Ödön die Restauflage mit Hilfe seines Vaters auf und vernichtet sämtliche Exemplare. Horváth war sich anfänglich keineswegs sicher, ob er als Schriftsteller arbeiten sollte oder nicht, denn im Rückblick bemerkt er: »Ich versuchte es noch mit allerhand mehr oder minder bürgerlichen Berufen – aber es wurde nie etwas Richtiges daraus – anscheinend war ich doch zum Schriftsteller geboren« (ebd., S. 199 f.).

1923 Ödön beginnt intensiv zu schreiben, doch die meisten Manuskripte aus diesen Jahren vernichtet er. Vermutlich entstehen in dieser Zeit das Fragment »Dosa« und das Schauspiel *Mord in der Mohrengasse*, aus dem einzelne Motive in späteren Stücken auftauchen.

1924 Im Satireblatt *Simplicissimus* erscheinen erstmals Horváths *Sportmärchen*. Nach einer längeren Parisreise mit dem Bruder beschließt Ödön nach Berlin umzuziehen, und in Berliner Zeitungen werden in den nächsten Jahren weitere *Sportmärchen* publiziert.

1926 Am Stadttheater in Osnabrück wird *Das Buch der Tänze* am 19. Februar uraufgeführt, das auf negative Kritiken stößt. Zur gleichen Zeit entstehen die Dramen *Revolte auf Côte 3018*, das den Bau der Zugspitzbahn zum Anlass nimmt, und *Zur schönen Aussicht*.

1927 Im Berliner Büro der »Deutschen Liga für Menschenrechte« sichtet Horváth Unterlagen für eine Denkschrift zur Justizkrise und stößt dabei auf Material über Fememorde der Schwarzen Reichswehr, das er später in seinem Stück *Sladek oder Die schwarze Armee* verarbeitet. Die Uraufführung *Revolte auf Côte 3018* in Hamburg am 4. November wird ein Misserfolg, weshalb Horváth das Stück bearbeitet und es unter dem Titel *Die Bergbahn* vervielfältigen lässt. In einem Radiointerview beschreibt er später sein Volksstück so: »Das Stück hat zum Inhalt den Kampf zwischen Kapital und Arbeitskraft. Zwischen den beiden Parteien steht ein Ingenieur, und durch ihn ist die Stellung der sogenannten Intelligenz im Produktionsprozeß charakterisiert« (ebd., S. 200).

1928 Horváth schreibt das Stück *Sladek oder Die schwarze Armee*, arbeitet es später um. Die Neufassung erhält den Titel *Sladek, der schwarze Reichswehrmann*. In diesem und im folgenden Jahr verfasst er daneben sendereife *Sieben Szenen für den Rundfunk* unter dem Titel *Stunde der Liebe*, die aber erst 1973 im Radio zu hören sind.

1929 Mit großem Erfolg wird am 4. Januar *Die Bergbahn* in Berlin uraufgeführt. Das Haus Ullstein bietet ihm daraufhin ein Fixum und einen Vertrag an, sodass Horváth zukünftig als freier Schriftsteller leben kann. Er schreibt die Posse *Rund um den Kongreß*, einzelne Kapitel des späteren Romans *Der ewige Spießer* sowie die Geschichten der *Agnes Pollinger* und entwirft den Roman *Der Mittelstand*. In einer Matinee-Veranstaltung wird am 13. Oktober *Sladek, der schwarze Reichswehrmann* uraufgeführt. Das Stück enttäuscht die Kritik, ruft aber bei den Nationalsozialisten heftige Angriffe hervor.

1930 Der Roman *Der ewige Spießer* erscheint im zur Ullstein AG gehörenden Berliner Propyläen Verlag, in dessen Theaterabteilung Arcadia auch seine Dramen publiziert werden. Zugleich schreibt Horváth an den beiden Volksstücken *Geschichten aus dem Wiener Wald* und *Italienische Nacht* und greift in seinem Stück *Die Lehrerin von Regensburg* das reale Schicksal der ersten protestantischen Volksschullehrerin Elly Maldaque in Regensburg auf. Am 12.9. tritt er aus der katholischen Kirche aus.

1931 Am 20. März wird im Berliner Theater am Schiffbauerdamm *Italienische Nacht* mit großem Erfolg uraufgeführt. Eine entpolitisierte Fassung des Stückes hat am 5. Juli in Wien Premiere, anlässlich der Horváth in einem Interview erklärt, er habe »eben« die *Geschichten aus dem Wiener Wald* abgeschlossen, an denen er lange Zeit gearbeitet hatte. Im Herbst erhält Horváth auf Vorschlag Carl Zuckmayers (1896–1977) zusammen mit Erik Reger (1893–1954) den Kleist-Preis. Die Uraufführung von *Geschichten aus dem Wiener Wald* am 2. November am Deutschen Theater in Berlin wird zu einem entscheidenden Theatererfolg und macht Horváth zum anerkannten Dramatiker. Zusammen mit R. A. Stemmle (1903–1974) schreibt Horváth an einer Ausstattungsrevue »Magazin des Glücks« für Max Reinhardt (1873–1943), die aber nicht vollendet wird, im Gegensatz zu seinem Volksstück *Kasimir und Karoline*.

1932 Horváth arbeitet an seinem Stück *Glaube Liebe Hoffnung*, gibt ein Radiointerview (vgl. Bd. 11, S. 196 ff.) und tritt bei Autorenlesungen in München auf. Am 18. November wird *Kasimir und Karoline* in Leipzig und eine Woche später – in der gleichen Inszenierung – in Berlin uraufgeführt. Die Kritik reagiert gespalten, und Horváth sieht sich veranlasst, für künftige Inszenierungen eine »Gebrauchsanweisung« (vgl. ebd., S. 215 ff.) für seine Stücke zu verfassen. Der Vertrag zwischen Ullstein und Horváth, der ihm zunächst 300 Mark und ab 1931 500 Mark monatlich zusicherte, wird »auf Grund gegenseitigen freundschaftlichen Übereinkommens« gelöst.

1933 Heinz Hilpert (1890–1967) wird von den Nationalsozialisten gezwungen, das zur Uraufführung angenommene Stück *Glaube Liebe Hoffnung* wieder abzusetzen. Auch andere Stücke Horváths dürfen nicht mehr gespielt werden. In Murnau wird das Haus der Eltern Horváths von einem SA-Trupp durchsucht. Horváth verlässt daraufhin Deutschland, wohnt zunächst in Österreich, wo er an dem Stück *Die Unbekannte aus der Seine* schreibt. Da Horváth in Deutschland als unerwünschte Person gilt und um die ungarische Staatsbürgerschaft zu behalten, muss er nach Budapest reisen. Dieses Erlebnis verarbeitet er später in der Posse *Hin und Her*. In Wien heiratet er am 27. Dezember die Sängerin Maria Elsner (1905–1981), doch die Ehe wird bereits am 2. September 1934 wieder geschieden.

1934 Die geplante Uraufführung des Stücks *Die Unbekannte aus der Seine* in Wien kommt nicht zustande. Horváth reist nach Berlin, da er ein Bühnenwerk über den Nationalsozialismus plant. Seine Eindrücke finden sich in den Skizzen zum Stück *Der Lenz ist da!* (GW 1970, Bd. 4, S. 100 ff.) und später im Roman *Jugend ohne Gott*. In Berlin findet Horváth Anschluss an die Filmindustrie, entwickelt mehrere Stoffe, schreibt an Filmdialogen und verschiedenen Exposés. Zugleich setzt er seine dramatischen Arbeiten fort und vollendet das Märchen »Himmelwärts«. Am 13. Dezember hat in Zürich die Komödie *Hin und Her* Premiere.

1935 Horváths finanzielle Lage verschlechtert sich, da seine Stücke in Deutschland nicht mehr gespielt werden können. Zugleich verfasst er Skizzen und Fragmente zum Thema »Flucht aus der Gegenwart« und entwickelt mit seinem Bruder den Plan zu einem bebilderten Briefroman mit dem Titel »Die Reise ins Paradies« (GW 1970, Bd. 4, S. 456 f.). Als Auftragsarbeit für den Max Pfeffer Verlag schreibt Horváth das Stück *Mit dem Kopf durch die Wand*, dessen Uraufführung am 10. Dezember in Wien bei der Kritik durchfällt. Darüber schreibt er später: »Einmal beging ich einen Sündenfall. Ich schrieb ein Stück, ›Mit dem Kopf durch die Wand‹, ich machte Kompromisse, verdorben durch den neupreußischen Einfluß, und wollte ein Geschäft machen, sonst nichts. Es wurde gespielt und fiel durch. Eine gerechte Strafe« (Bd. 11, S. 227).

1936 Horváth arbeitet intensiv an seinen Stücken, sodass *Der jüngste Tag*, *Figaro läßt sich scheiden* und *Don Juan kommt aus dem Krieg* fertig werden. Er lebt meistenteils in Wien und in Henndorf bei Salzburg. Als er im August seine Eltern in Possenhofen besucht, wird ihm mitgeteilt, seine Aufenthaltsgenehmigung sei ihm entzogen und er habe Deutschland binnen 24 Stunden zu verlassen. Am 13. November wird *Glaube Liebe Hoffnung* in Wien unter dem Titel *Liebe, Pflicht und Hoffnung* uraufgeführt.

1937 Horváth beginnt, sich von fast all seinen Bühnenstücken zu distanzieren (vgl. ebd.), und plant das Projekt »Komödie des Menschen«, das er als Kontrast zu *Mit dem Kopf durch die Wand* (1935) begreift: »So habe ich mir nun die Aufgabe gestellt, frei von Verwirrung die Komödie des Menschen zu schreiben, ohne Kompromisse, ohne Gedanken ans Geschäft. Es gibt nichts Entsetzlicheres als eine schreibende Hur. Ich geh nicht mehr auf den Strich und will unter dem Titel ›Komödie des Menschen‹ fortan meine Stücke schreiben, eingedenk der Tatsache, daß im ganzen genommen das menschliche Leben immer ein Trauerspiel, nur im einzelnen eine Komödie ist« (ebd.). In Henndorf beendet er seinen Roman *Jugend ohne Gott*, der im Herbst im Amsterdamer Verlag Allert de Lange erscheint. Dem Romanerfolg, der mehrere Übersetzungen nach sich zieht, stehen einige Uraufführungen gegenüber, die aber meistens folgenlos bleiben: am 2. April *Figaro läßt sich scheiden* in Prag, am 24. September *Ein Dorf ohne Männer* in Prag, am 5. Dezember *Himmelwärts* in Wien, am 11. Dezember *Der jüngste Tag* in Mährisch-Ostrau. Noch im selben Jahr beginnt er mit der Arbeit an seinem zweiten Roman *Ein Kind unserer Zeit*, der ein Jahr später ebenfalls im Allert de Lange Verlag veröffentlicht wird.

1938 Starke Depressionen, Unzufriedenheit mit seinen Arbeiten und finanzielle Probleme hindern Horváth an der Vollendung seiner Pläne. Vom Romankonzept »Adieu Europa!« entstehen nur wenige Seiten. Während mehrere seiner Freunde Österreich verlassen – Walter Mehring (1896–1981) emigriert nach Zürich, Hertha Pauli (1909–1972) nach Paris, Franz Theodor Csokor (1885–1969) nach Polen –, fährt Horváth zunächst nach Budapest, später weiter nach Fiume. Von Budapest schreibt er an F. Th. Csokor: »Gott, was sind das für Zeiten! Die Welt ist voller Unruhe, alles drunter und drüber, und noch weiß man nichts Gewisses! Man müßte ein Nestroy sein, um all das definieren zu können, was einem undefiniert im Wege steht! Die Hauptsache, lieber guter Freund, ist: Arbeiten! Und nochmals: Arbeiten! Und wieder: Arbeiten! Unser Leben ist Arbeit – ohne sie haben wir kein Leben mehr. Es ist gleichgültig, ob wir den Sieg oder auch nur die Beachtung unserer Arbeit erfahren, – es ist völlig gleichgültig, solange unsere Arbeit der Wahrheit und der Gerechtigkeit geweiht bleibt« (GW 1970, Bd. 4, S. 680). Dem Besuch weiterer Städte folgt eine Besprechung am 1. Juni mit Robert Siodmak (1900–1973) in Paris, der eine Verfilmung von *Jugend ohne Gott* plant. Horváth beabsichtigt, am nächsten Morgen nach Zürich weiterzureisen. Gegen 19³⁰ Uhr wird er von einem herabstürzenden Ast gegenüber dem Théâtre Marigny erschlagen. In seiner Tasche soll man auf einer Zigarettenschachtel folgende Zeilen gefunden haben: »Und die Leute werden sagen / In fernen blauen Tagen / Wird es einmal recht / Was falsch ist und was echt // Was falsch ist, wird verkommen / Obwohl es heut regiert. / Was echt ist, das soll kommen – / Obwohl es heut krepiert« (ebd., S. 688). Am 7. Juni findet die Beerdigung Ödön von Horváths auf dem Pariser Friedhof Saint-Ouen unter Anteilnahme vieler Exilautoren statt.

Horváth begann wahrscheinlich Ende 1931 mit der Arbeit an *Kasimir und Karoline*, wobei die ersten Entwürfe zugleich als Grundlage für das spätere Stück *Glaube Liebe Hoffnung* dienten, das er 1932 gemeinsam mit *Kasimir und Karoline* im Propyläen Verlag veröffentlichen wollte. Meist blieb es allerdings bei Skizzen, wie etwa den Plänen zu den Volksstücken »Karoline, die Schönheit von Haidhausen« oder »Kinder und Militär die Hälfte« oder beim Konzept einer »Zauberposse in zwei Teilen mit Vorspiel und Epilog, Gesang und Tanz« mit dem Titel »Himmelwärts« (vgl. Mat. IV, S. 77 f.). Von besonderer Bedeutung für die Arbeit an dieser Art von »Oktoberfest-Stück« ist überdies Horváths Skizze »Wiesenbraut und Achterbahn«, die er in einem Notizbuch notierte. Dieser kurze Text liest sich streckenweise wie eine frühe Prosafassung des späteren Volksstücks: »Wiesenbraut und Achterbahn«

»WIESENBRAUT UND ACHTERBAHN
Ein Abend auf dem Oktoberfest.
. . . Unter einer Wiesenbraut versteht man in München ein Fräulein, das man an einem Oktoberfestbesuch kennen lernt, und zu dem die Bande der Sympathie je nach Veranlagung und Umständen mehr oder weniger intimer geschlungen werden. Meistens wird die Wiesenbraut vom Standpunkt des Herrn aus gesehen – aber die Geliebte samt der Sehnsucht, die in der Wiesenbraut leben, werden selten respektiert. Oft will die Wiesenbraut nur lustig sein und sonst nichts, häufig will sie sonst auch noch etwas; nie aber denkt sie momentan materiell. Aber in der Wiesenbraut lebt häufig die Sehnsucht, daß es immer ein Oktoberfest geben soll; immer so ein Abend; immer eine Achterbahn; immer die Abnormitäten; immer Hippodrom im Kreise. Seit es eine Oktoberfestwiese gibt, seit der Zeit gibt es eine Wiesenbraut. Die Wiesenbraut verläßt die Ihren, verläßt ihr Milljöh – geht mit Herren, die sie nicht kennt, interessiert sich wenig für den Charakter, mehr für die Vergnügungen. Die Wiesenbraut denkt nicht an den Tod. Die Wiesenbraut opfert ihren Bräutigam, sie denkt nicht, sie lebt. Sie verliert ihre Liebe wegen einem

Amüsement. Sie vergißt wohin sie gehört. Und der Kreis um die Wiesenbraut empfindet diese Störung. Er gerät durcheinander aus Enttäuschung. Aber bald ordnet sich wieder alles – und die Wiesenbraut ist ausgeschaltet. Nur im Märchen bekommt die Wiesenbraut einen Prinzen. In Wahrheit versinkt sie in das Nichts sobald die Wiese aufhört.« (GW 1970, Bd. 1, S. 5* f.)
Ganz zu Beginn der dramatischen Arbeit wurde das Bühnenwerk als »Volksstück in fünf Bildern« geplant, und zwar unter dem Titel »Kasimir und Katharina« (vgl. Mat. IV, S. 78 f.). Daraus entwickelte sich in einer nächsten Arbeitsphase eine Fassung mit sieben Bildern, die bereits den später gewählten Titel *Kasimir und Karoline* (GW Bd. 7, S. 211 ff.) trug. »Sieben Szenen von der Liebe, Lust und Leid, und unserer schlechten Zeit« sollte der Untertitel lauten, denn, so Horváth: »Er drückt das Balladeske aus von Leid und Zeit. Eine Anspielung im Titel auf das Oktoberfest ließ ich weg, weil das Oktoberfest an und für sich nicht das Wichtigste ist« (Mat. IV, S. 81). Wie so oft zeichnet die ersten Entwürfe eine weitaus konkretere Darstellung der sozialen Verhältnisse aus als die Endfassung. So strich Horváth später etwa alle Szenen, die ein bezeichnendes Licht auf die Lebenssituation des Studenten Emil und seiner Kommilitonen werfen; zudem eskamotierte er die Auftritte von Karolines Eltern ebenso wie deren politische Ansichten. Keine Aufnahme in die späteren Fassungen finden demnach zahlreiche konkrete Hinweise auf die gesellschaftlichen Verhältnisse der Zeit und politische Motive. Das »Volksstück in sieben Bildern«, so der Titel einer weiteren Fassung, die der später als »unverkäufliches Manuskript« hektographierten Endfassung mit dem Titel *Kasimir und Karoline* und »Volksstück« als Gattungsname bereits weitgehend entspricht, verzeichnet dann auch keinen Emil mehr und keinen Abnormitäten-Händler Spitz, kennt weder die Eltern von Karoline noch das Ehepaar Rosa und Jacob Schürzinger.
Entscheidend für die endgültige Fassung ist dann v. a. die Durchnummerierung der einzelnen Szenen, welche die zuvor vorgenommene Aufteilung des Stückes in ›Bilder‹ ersetzt. 117 Szenen sind schließlich in jenem Manuskript verzeichnet, das der Arcadia Verlag für die Bühne vervielfältigte, nachdem er es am 9. Mai 1932 angenommen hatte.

Unterschiede zur Endfassung

Im September annoncierte der Verlag die Premiere für Oktober; sie fand jedoch erst am 18. November 1932 im Leipziger ›Schauspielhaus‹ unter der Regie von Francesco von Mendelssohn (1901–1973) statt. Angekündigt war dieser Abend als »Uraufführung in der Berliner Besetzung«, denn die Schauspieltruppe hatte v. a. in Berlin geprobt. Die Theaterkritik nahm indes erst die Berliner Erstaufführung am 25. November 1932 im ›Komödienhaus‹ zum Anlass, das Stück zu besprechen. Die ebenfalls für November projektierte Aufführung von *Kasimir und Karoline* im ›Kleinen Schauspielhaus‹ in Hamburg kam nicht zustande.

Uraufführung in Leipzig

Erstaufführung in Berlin

Statt der Bezeichnung »Volksstück« lautete der Untertitel des Stücks bei der Premiere in Leipzig »Ein Abend auf dem Oktoberfest von Ödön von Horváth«. Gegen diesen direkten Lokalbezug wandte sich Horváth in einem Brief aus dem Jahr 1935 anlässlich der Wiener Erstaufführung: »Als mein Stück 1932 in Berlin uraufgeführt wurde, schrieb fast die gesamte Presse, es wäre eine Satire auf München und auf das dortige Oktoberfest – ich muß es nicht betonen, daß dies eine völlige Verkennung meiner Absichten war, eine Verwechslung von Schauplatz und Inhalt; es ist überhaupt keine Satire, es ist die Ballade vom arbeitslosen Chauffeur Kasimir und seiner Braut mit der Ambition, eine Ballade voll stiller Trauer, gemildert durch Humor, das heißt durch die alltägliche Erkenntnis: ›Sterben müssen wir alle!‹« (Bd. 11, S. 222)

Horváths Brief an E. Lönner

Die österreichische Premiere fand schließlich als »einmaliges Gastspiel der Gruppe Ernst Lönner« am 4. Februar 1935 in der Wiener ›Komödie‹ statt und wurde fünf Tage später in die ›Kammerspiele‹ übernommen. Wegen des Erfolgs dieser Inszenierung, die das Geschehen vom Münchner Oktoberfest in den Wiener Prater verlegte, zeigte Ernst Lönner das Stück im November 1935 nochmals in seinem ›Kleinen Theater in der Praterstraße‹.

Im Zusammenhang mit der Berliner Premiere von *Kasimir und Karoline* hat Horváth seine inzwischen klassisch gewordene »Gebrauchsanweisung« (vgl. Anhang, S. 81 ff.) geschrieben, die als Versuch gelten kann, mögliche Missverständnisse durch entsprechende bühnenrelevante Hinweise aus dem Weg zu räumen

»Gebrauchsanweisung«

und damit eine adäquate Umsetzung seiner Stücke auf der Bühne zu garantieren. Die Niederschrift dieser kurzen theoretischen Abhandlung dürfte ihm nicht leicht gefallen sein, da dieser Text in zahlreichen Varianten vorliegt (vgl. Mat. IV, S. 100 ff.). Nimmt man Horváths oben erwähnten Brief von 1935 an den Wiener Regisseur Lönner hinzu, ist *Kasimir und Karoline* das Stück, zu dem der umfangreichste Kommentar von Seiten des Autors vorliegt und das er in den Jahren 1933/34 auch verfilmen wollte, wie er in seinem Notizbuch vermerkte (vgl. Lunzer 2001, S. 121).

Distanzierung
Horváths von
dem Stück
Allerdings ist es auch das einzige unter seinen »Klassikern«, von dem er sich in einem Briefentwurf, »in einem Zustand tiefster Depression« – so der Bruder Lajos von Horváth –, explizit distanzierte: »Ich habe in den Jahren 1932–1936 verschiedene Stücke geschrieben, sie sind, außer einem, gespielt worden, und zwar, wie man so zu sagen pflegt, mit Erfolg, außer einem. Diese Stücke ziehe ich hiermit zurück, sie existieren nicht, es waren nur Versuche. Es sind dies: *Kasimir und Karoline* [. . .]« (Bd. 11, S. 227). Für Kurt Bartsch ist diese Entscheidung jedoch eher »von (wie auch immer zu beurteilenden) moralischen, im Selbstverständnis wohl auch politischen Überlegungen« bestimmt und weniger von ästhetischen, denn »sonst hätte er wohl nicht pauschal das Dramenwerk seit *Kasimir und Karoline* verworfen und die vergleichsweise unbedeutenderen Komödien *Ein Dorf ohne Männer* und *Pompeij* dagegen ausgespielt« (Bartsch, S. 147).

Theatergeschichte

Kasimir und Karoline ist neben *Geschichten aus dem Wiener Wald* Horváths bekanntestes Drama. Seine Popularität verdankt sich nicht zuletzt der steten Bühnenpräsenz des Stückes in den letzten 50 Jahren. Obwohl am 18. November 1932 im Leipziger Schauspielhaus uraufgeführt, gilt das »Gastspiel der Ernst Josef Aufricht-Produktion« am 25. November in Berlin als die eigentliche Premiere. In seinen Memoiren erwähnt der Theaterdirektor Ernst Josef Aufricht (1898–1971) diese Inszenierung nur kurz: »In Murnau, in dem Haus seiner Eltern, arbeitete er an einer neuen Komödie: ›Casimir und Caroline‹. Ich amüsierte mich beim Lesen, schlug ihm einige Änderungen vor, blieb acht Tage bei ihm und konnte nicht widerstehen, das Stück anzunehmen und sofort zu produzieren. Das Liebespaar besetzte ich mit Luise Ulrich und Hermann Ehrhardt, den ich von einem bayerischen Bauerntheater wegholte. Beide waren in ihren Rollen von einem echten rustikalen Charme. Wir probierten in Berlin, und die Ernst-Josef-Aufricht-Produktion gastierte mehrere Abende in Leipzig. Wir nahmen die notwendigen Korrekturen vor. Anschließend kam die Berliner Premiere im Komödienhaus. Trotz Erfolg und finanziellen Garantien in Leipzig und Berlin entstand ein Defizit.«

E. J. Aufrichts Memoiren

Der »Erfolg«, von dem Aufricht spricht, kann so groß nicht gewesen sein, denn bereits nach zehn Vorstellungen (25.11.–4.12.1932) wurde die Berliner Inszenierung vom Spielplan genommen. Dies mag auch an den durchaus verhaltenen Kritiken gelegen haben, bei denen die skeptischen Töne überwogen. Insbesondere der Vorwurf, das Drama sei nicht wirklich ein Volksstück, durchzieht die Aufführungsberichte wie ein roter Faden. Überdies wurde Horváths Neigung bemängelt, seine dramatischen Motive nur fortzuschreiben. So monierte etwa der einflussreiche Publizist und Schriftsteller Kurt Pinthus (1886–1975): »Dieser als hoffnungsvoller Dramatiker allgemein anerkannte Ödön Horváth, vorläufig jedoch weniger ein Dramatiker, der ›dichten‹ kann, von dicht abgeleitet, als ein Gestaltenskizzierer, Menschenentlarver durch Dialog und Dialekt, setzt

Kritik an dem Stück

K. Pinthus

sich hier selber fort; man kann auch sagen, wiederholt sich selbst. Wie er in der *Italienischen Nacht* Gemüt und Gesinnung süddeutscher Kleinstadtbürger bei einem Gartenfest demaskierte, dann in *Geschichten aus dem Wiener Wald* das Wiener goldene Herz beim Heurigen, so jetzt die Münchener Gmüatlichkeit beim Oktoberfest. Wie anläßlich der früheren Komödien, läßt sich auch diesmal vieles gegen Horváth sagen; aber man muß auch sagen: er ist ein Kerl; ein Kerl, wie er sie gern selber zeichnet, gemischt aus Kraft und Schwäche« (Mat. XI, S. 227).

B. Diebold

Ganz ähnlich in ihrer Mischung aus Zustimmung und Tadel liest sich die Besprechung des Schweizer Dramaturgen und Theaterkritikers Bernhard Diebold (1886–1945): »Das kleine Drama besteht aus wundervollen Aperçus der Szenen und der Dialögchen. Horváth hört ein ganzes Volk tausendzüngig schwatzen. Jedes Wort sitzt mit ethnologischer Sicherheit. Der Witz blitzt aus der Volksseele. Aber es bleibt ein Mosaik der Einfälle. Der Faden des Dramas ist zu dünn gesponnen. Man könnte einzelne Mittelszenen beinahe vertauschen, ohne daß die Handlung rückwärts liefe« (ebd., S. 234).

Die Vorhaltungen, es handele sich bei *Kasimir und Karoline* »weniger um ein Theaterstück als um ein geschmäcklerisches Feuilleton mit Atmosphäre« (ebd., S. 241) und er sei vielmehr als ein Satiriker denn als ein Dramatiker zu begreifen, scheinen Horváth tief getroffen zu haben. Denn wenig später verfasste er jenen Text, der seither als sein Dogma einer angemessenen Inszenierung nicht nur dieses, sondern all seiner Stücke gelten kann: »Gebrauchsanweisung« (vgl. Anhang, S. 81 ff.). Erstmals zum Tragen kam die »Gebrauchsanweisung« bei der Wiener Aufführung am 5. März 1935 in der ›Komödie‹, die aufgrund des lebhaften Zuspruchs eine Wiederaufnahme im November 1935 im ›Kleinen Theater in der Prater Straße‹ erlebte.

Erste Inszenierung nach dem Zweiten Weltkrieg

Die erste Inszenierung des Stückes nach dem Zweiten Weltkrieg fand – ebenfalls in Wien – am 12. Oktober 1950 statt. Im Gegensatz zu *Geschichten aus dem Wiener Wald*, das bei seiner österreichischen Premiere 1948 im Wiener ›Volkstheater‹ einen Theaterskandal ausgelöst hatte, wurde *Kasimir und Karoline* nun einmütig gefeiert. Man hatte das Geschehen – wie schon 15 Jahre zuvor – kurzerhand in den Wiener Prater verlegt, wobei für das Bühnenbild Horváths Bruder Lajos verantwortlich zeichnete. Dieser Erfolg verdankte sich womöglich auch dem Regisseur Michael Kehlmann, der in den Sechzigerjahren den Ruf eines genuinen »Horváth-Regisseurs« erlangte.

Zwei Jahre später, am 7. Oktober 1952, erfuhr das Stück eine Neuinszenierung an den Münchner ›Kammerspielen‹, die für einen ähnlichen Skandal sorgte wie seinerzeit die Wiener Premiere von *Geschichten aus dem Wiener Wald*: Das Publikum der bayerischen Landeshauptstadt verwahrte sich bei der Premiere lautstark gegen die angebliche Diffamierung ihrer Stadt und ihrer Feste (vgl. Mat. IV, S. 142 ff.). Die Motive für die Ablehnung lagen für den Kritiker der *Süddeutschen Zeitung* auf der Hand: Da die Münchner ihr Oktoberfest kennen, »war dieses da [auf der Bühne] nicht das wahre. In Berlin, wo man es nicht so genau kennt, kann man es in München spielen lassen. In München, wo es um die eigenen Belange, das Zwingend-Echte, das unverwechselbare Kolorit geht, muß man dieses Volksstück nach Budapest hinausverlegen. Im Distanzfilter würden dann auch die Münchner die vielleicht nicht noble, aber echt-schwermütige Absicht des Autors akzeptiert haben: ein Ewig-Jahrmarktliches darzustellen; und sie hätten eingeräumt, daß diese wehmütige Ballade am Rande auch oktoberfestmöglich ist« (ebd., S. 144 f.). Einmal mehr wird so das Prinzip »Realismus« zum Maßstab für die Qualität des Stückes erhoben, entsprechend der Maxime: »Die Münchener sagten sich mit Recht: Wer redet schon so auf unserer Wies'n!«

Wie weit sich dieses Konzept einer »Wirklichkeitsdarstellung« jedoch auch in die andere Richtung dehnen lässt, machte der Kritiker des *Bayerischen Volks-Echo* deutlich: »Wenn die Herren bürgerlichen Kritiker nun so tun, als müßten sie das Oktoberfest gegen die ›Entstellung‹ und ›Verunglimpfung‹ durch den Schriftsteller Ödön von Horváth verteidigen, so ist das eine ganz billige Demagogie, mit der falsche Volkstums-Verbundenheit echte Klasseninteressen vertuschen soll.« Mit dieser Perspektive ist dann die Utopie nicht weit: »Ein richtiges Volksfest auf der Wies'n wird es erst dann wieder geben können, wenn nicht mehr droben 20 Wirtschaftskapitäne fliegen und gleichzeitig drunten ein paar Millionen hungern. Da hat der Kasimir völlig recht« (ebd., S. 158).

Insofern lassen sich an dieser Münchner Inszenierung rückblickend bereits einige der zentralen Fragen der Rezeption durch das Theater erkennen: Inwieweit können die Erlebnisse Kasimirs und Karolines als historisches Abbild ihrer Zeit gelten, und welche Rolle spielt dabei das Oktoberfest? Ist das Porträt der beiden Protagonisten eher symbolisch denn realistisch zu verstehen, und kann man es daher weder als Aussage über die damaligen noch über die heutigen gesellschaftlichen Verhältnisse verstanden werden? Wie wirklichkeitsgetreu setzt die Inszenierung den Hinweis Horváths um, das Stück spiele auf dem Münchener Oktoberfest, und zwar in unserer Zeit (vgl. S. 8,7–8)?

Verfilmung des Stücks

Die Nähe oder die Distanz zu all diesen Fragen bestimmte fortan die Aufführungsgeschichte des Volksstückes, zu deren herausragenden Ergebnissen eine Filmversion aus dem Jahre 1959 gehört. Diese erste Inszenierung eines Horváth-Stückes im deutschen Fernsehen durch den Regisseur Michael Kehlmann bildete den Auftakt für eine Reihe weiterer TV-Produktionen (vgl. Mat. IV, S. 285 f.). Mehr als zehn Jahre später wird die Verfilmung des Bayerischen Rundfunks v. a. deshalb gelobt, weil sie zwei nahe liegenden Gefahren konsequent aus dem Weg gegangen sei. »Sie vermeidet die filmische Suggestion von Wirklichkeit, und sie vermeidet die Überstilisierung. Sie verzichtet auf naturalistischen Illusionismus, wie er z. B. in Massenszenen und atmosphärischen Schilderungen dem Fernsehen im Gegensatz zum Theater möglich gewesen wäre. Sie verzichtet aber auch auf virtuoses Ausspielen der technischen Möglichkeiten des Mediums: kein motorisch beschleunigtes Tempo, keine raschen Bildwechsel, keine kurzen Zwischenschnitte, keine epigrammatische Kontrasttechnik, kurz: keine Verselbständigung der filmischen Elemente, kein Automatismus in der Stilisierung. Statt dessen ein ruhiges, sicheres Vorzeigen von Einzelbildern; nicht mit dem Ziel Unwiederbringlichkeit zu suggerieren, sondern eher als optisches Zitat, als Wiederholung von Wiederkehrendem.« (ebd., S. 287) Diese Inszenierung setzte Maßstäbe für die Präsentation Horváths auf dem Bildschirm und trug wesentlich zur vielzitierten Horváth-Renaissance auf den Bühnen bei.

1964 kam es einmal mehr zum Inszenierungsvergleich zwischen Berlin und Wien, zwischen den beiden Regisseuren Hagen Mueller-Stahl und Otto Schenk. Beide verstanden es, überzeugend dies zu zeigen: »*Kasimir und Karoline* ist schon und noch nicht ein historisches Stück. Bestürzend, wie nah und wie fern zugleich es ist« (ebd., S. 186), heißt es etwa über die Wiener Aufführung. Friedrich Torberg (1908–1979) nahm diese schließlich zum Anlass für sein Diktum: »Ödön von Horváth befindet sich auf dem Weg zum Klassiker.« Die Berliner Inszenierung hingegen lobte Wolfgang Werth mit dem Argument: »Gerade weil Horváth – im Gegensatz zu den Parteidichtern jeder Couleur – das zur Masse verbildete Volk weder verherrlicht noch kritisiert, weil er es mit einer erstaunlich sensiblen Sicherheit so zeigt, wie es ist, ermöglicht sein Stück immer noch gültige Erkenntnisse.«

O. Schenks Inszenierung

Kann Michael Kehlmann in diesen Jahren als der TV-Regisseur von Horváths Werken gelten, so gebührt Otto Schenk und Hans Hollmann der Titel für die Theaterwelt, da beide zahlreiche Stücke Horváths gleich mehrfach für die Bühnen vorbereiteten. Dabei begründete Hans Hollmann neben der praktischen Regiearbeit seine Absichten auch theoretisch, publizierte diese dann (vgl. Mat. III, S. 96 ff.), um so eine Auseinandersetzung über Prinzipien einer Horváth-Regie zu ermöglichen, der Wolf Dietrich mit seinen »Grundsätzen für heutige Horváth-Regisseure« (Mat. III, S. 102 ff.) folgte. Während Hollmann 1968 die Schweizer Erstaufführung so erfolgreich gestaltete, dass sie auch beim alljährlichen Theatertreffen gezeigt wurde, versuchte Otto Schenk ein Jahr später eine Rehabilitation des Stückes in der Stadt des traditionsreichen Oktoberfestes.

H. Hollmann

Nimmt man noch die Premiere in Karl-Marx-Stadt (Chemnitz) im September 1968 hinzu – die erste Horváth-Aufführung in der DDR überhaupt –, so markieren diese drei Inszenierungen beispielhaft mögliche Zugänge zum Werk. Während in München eher die Parabel im Vordergrund stand, die das »zeitbedingte Kolorit des Stückes zu einer echten menschlichen Tragödie« werden ließ, wurde in der DDR ein historisches Porträt gezeigt, die »unverblümte Schilderung einer demoralisierten Epoche«. V. a. im Wissen um den Ausgang der Geschichte erscheint auf diese Weise das »Handeln der ahnungslosen Menschen des Stückes mehr tragisch als komisch«.

Erste Horváth-Inszenierung in der DDR

Wenngleich auch in der Schweiz das tragische Moment eine bedeutende Rolle spielte, sah man dort Horváths Gegenwärtigkeit jedoch insbesondere durch dessen bewusste Ausstellung einer Sprach- und Bewusstseinsform begründet, die der Dramaturg Hermann Beil folgendermaßen charakterisiert: »Deswegen ist Horváth wieder und noch immer gültig: seine Stücke sind ein Dokument über die verlorengegangene Vernunft und das manipulierte, durch verzerrte Sprache terrorisierte Bewußtsein. Horváths Figuren retten sich in ihrer Ohnmacht den Verhältnissen gegenüber in eine Sprache, die keine Verständigung mehr zuläßt, so groß auch die Anstrengung ist, denn Horváths Figuren leben in einer Sprache, deren Gesicht von Unrat, Müll und Selbstbetrug bis zur schonungslosen Kenntlichkeit verschmiert ist. [...] Das heißt: Horváth führt kein Panoptikum vor, die Abnormität ist hier ein allgemeiner gesellschaftlicher Zustand, die Verzerrungen werden als latente Gefahr erkennbar« (Mat. IV, S. 206).

Für Hellmuth Karasek bewies diese Inszenierung zugleich, »wie ein ›epischer‹, ein unnaturalistischer Stil dem Stück weit angemessener ist. Wenn Horváth selbst für seine Stücke die Kategorien ›naturalistisch‹ und ›realistisch‹ ablehnte, dann wird in dieser Aufführung deutlich wie bisher nie, warum: weil Horváths scheinbare Kopie des Idioms seiner Oktoberfestbesucher in Wahrheit alles andere als entlarvende Kopie ist; was vielmehr vorgeführt wird, ist gestisches Reden und Sprechen, das die Bräuche zwischen Bewußtsein und den vorgeschützten Phrasen mit enthält« (ebd., S. 215).

Hans Hollmanns Inszenierung wirkte fortan als Maßstab für weitere Aufführungen in den Siebzigerjahren, sodass Volker Klotz es nicht versäumte, die Qualität von Valentin Jekers Stuttgarter Darbietung 1972 gerade im Vergleich zu bestimmen: »Anders also als der Radikalformalist Hollmann, verspielt Jeker das Konkrete nicht, noch zähmt er es in einem weiteren, scheinwilden Monstrositätenkabinett. Stichhaltig sind Gänge und Gruppierungen aus der jeweiligen wie aus der geschichtlichen Gesamtsituation entwickelt« (ebd., S. 282).

Wie so oft, wenn die grundlegenden Interpretationsansätze durchgespielt scheinen, erweisen sich die Bühnenbilder als Ansatzpunkte für neue Sinngebungen. V. a. dann, wenn Gegenmodelle zu einem plakativen »Realismus« nahe liegen, wonach

Horváths Bühnenstück nur mehr dazu dient, das Theaterpublikum an jener faszinierenden Stimmung teilhaben zu lassen, die der echten Münchner Wiesngaudi nachgesagt wird. Auch für *Kasimir und Karoline* trifft dies zu, wenn in Köln 1975 Christoph Nels Inszenierung die Oktoberfestsituation als »Flucht aus der gewalttätigen, durchrationalisierten Arbeitswelt gedeutet wird, die sich im normierten Vergnügen fortsetzt: eine Insel in dem ›gewalttätigsten, technischsten, rationalisiertesten Unraum‹, der sich finden läßt. Und das ist die kahlgeräumte Betonbühne als riesiger Simultan-Schauplatz mit einem kärglichen, nur selten einmal tönenden und bunt aufflackernden Jahrmarkts-Aufbau aus schiefer Ebene, provisorischem Steg, leichtgezimmerten Podest und unauffälligem Abstieg.«

Ch. Nels Inszenierung

Im Deutungsreigen dürfen schließlich nicht die Versuche fehlen, das Stück historisch neu zu bestimmen, wie etwa eine Karlsruher Inszenierung von 1976. Dort verlegte Niels-Peter Rudolph »das Geschehen durch unübersehbare Zitate (schmale Krawatten, spitze Schuhe, Petticoats, Schmalzlocken, amerikanische Besatzungssoldaten und ein paar ›Teddyboys‹, Bert Kaempfert im Radio und so weiter) in die fünfziger Jahre. Gab es damals eine Krise, blühte damals nicht das Wirtschaftswunder gerade auf?«, fragt der Kritiker Hans-Dieter Seidel und gibt die passende Antwort postwendend: »Das psychische Grundgefühl unserer Tage entspräche dem, worauf Horváth abzielt, doch weit eher.«

N.-P. Rudolphs Inszenierung

In den Achtzigerjahren griffen die Regisseure dann mitunter gängige Interpretationsmuster der Horváth-Philologie auf, Peter Palitzsch etwa die Todesmetaphorik in seiner Frankfurter Inszenierung (1980), oder sie integrierten frühere Textfassungen einschließlich deren Bühnenfiguren wie Heribert Sasse in Berlin (1984). Obwohl die Rezensenten nicht müde wurden, die Aktualität von Horváths Stück zu betonen, stieß keine Bühnendarstellung auf ungeteilte Zustimmung. Resigniert hält Michael Merschmeier 1985 fest: »Was das Stück heute noch und wieder wichtig macht: in Kasimirs Verhalten wird deutlich, daß Arbeitslosigkeit mehr ist als ein rein ökonomisches Unglück, daß die soziale und erotische Attraktivität samt einem halbwegs intakten Selbstwertgefühl schnell schwindet – mögen die Menschen um einen herum auch beteuern, es sei nicht so; weil Kasimir sich

M. Merschmeier

selbst als ›abgebaut‹ betrachtet, baut er tatsächlich ab. In Roberto Ciullis Inszenierung [im Mülheimer Theater an der Ruhr] bleibt diese Leidensdimension und Lebensnähe meist eine bloße Behauptung; [. . .]. Kein Panoptikum mit schlichten Menschen, sondern ein zu schickes Bestiarium mit Charleston-Pfiff.« Der Polit-Zirkus im Kontext der wachsenden Massenarbeitslosigkeit konnte auch als »groteske und sinnliche Bilder und Musikcollage« nicht wirklich überzeugen.

In den Neunzigerjahren blieb das Stück dennoch auf den Spielplänen. Während Andreas Kriegenburgs Inszenierung 1994 in Hannover dem Stück jede konkrete Realität nahm und widersprüchliche Reaktionen hervorrief, erntete Christoph Marthalers preisgekrönte Inszenierung – »Hamburger Oktoberfest der Depression« – mit Josef Bierbichler als grandiosem und daher auch zum Schauspieler des Jahres gewählten Kasimir-Darsteller (vgl. *Theater heute*, Jahrbuch 1997, S. 27 ff.) 1996 viel Beifall. Denn ihr gelang es eindrücklich, die Widersprüchlichkeit der Figuren aufzuzeigen. So entdeckte der Regisseur »hinter der Fassade der manisch urigen und zugleich fröhlichen Wiesnwelt die Spießerhölle, der alle zu entkommen versuchen und der doch allzuviele verhaftet bleiben« (Michael Merschmeier).

Wie bereits Hollmanns Basler Inszenierung für die Siebziger- und Achtzigerjahre kann heute Marthalers Regiekonzept als künftiger Referenzpunkt gelten. V. a. in der Abweichung und Fortführung dessen, was auf der Hamburger Bühne zu sehen war, liegt die Zukunft des Stückes, genauer gesagt, in der Auseinandersetzung mit einem Konzept, das Gerhard Stadelmaier folgendermaßen charakterisiert: »Marthaler inszeniert genau, still, zart und komisch und mit unendlicher Liebe zu den Figuren sozusagen im Rhythmus von Bierbichlers Handbewegungen den Wörterkampf der Glücklosen, die vielstimmige Fuge als Flucht in die Illusion, in den Taumel der Depression.«

Wie sich die Deutungen verändern, so auch die Theaterkulissen oder der Einsatz moderner Medien, seien es Filmsequenzen oder Rockklassiker. Mal wird der Theaterbesuch zum vermeintlichen Ausflug zum Oktoberfest – wie in der Saarbrücker Aufführung im Jahr 2001 der Regisseurin Dagmar Schlingmann, die auf Ähnlichkeiten zwischen der Container-Show *Big Brother* und den Horváth'schen Figuren verwies, denn letztere treibe es schließlich ebenso wie die heutige Fun-Gesellschaft aufs Oktoberfest, um dort das Amüsement um jeden Preis zu genießen –, mal fehlt jeglicher Anflug von Zeitgeist bzw. Authentizität der Zeit und des Raumes, und man findet fast leere Bühnen vor oder einen Zylinder mit vielen Türen samt Gucklöchern. Insofern ist Hajo Kurzenbergers Fazit zuzustimmen, wenn er über »Horváth-Spielräume« festhält: »An Kriegenburgs Inszenierung war zu sehen, daß Horváth die theatralen Härtetests an der Wende zum 21. Jahrhundert mit hervorragenden Ergebnissen bestanden hat. Er kann ohne Probleme durch die Mühlen eines postmodernen Theaters gedreht werden, das er offenbar noch inspiriert und beschleunigt. Er kann dekonstruktiv verhackstückt werden: Die verbliebenen Teile funkeln um so schärfer. Man kann ihn nonverbal zum ›Körpertheater‹ verturnen, das erweist auf der verbalen Seite nur die Äquilibristik seiner kunstvoll zubereiteten Alltagssprache, genannt ›Bildungsjargon‹« (Kastberger (Hg.) 2001, S. 168 f.).

Vielleicht erinnern sich auch späterhin Regisseure daran, *wofür* Horváth 1935 anlässlich einer Inszenierung des Stückes plädierte: »Unabhängig von den zeitlich bedingten Kostümierungen ist und war es in Berlin immer Sitte zu fragen: ›gegen wen richtet sich das?‹ Man hat nie gefragt: ›Für wen tritt es ein?‹ Das ›gegen‹ war und ist dort immer wichtiger als das ›für‹« (Bd. 11, S. 222).

Ödön von Horváth und seine Dramen schrieben indes nicht allein Bühnengeschichte, sondern avancierten selbst wieder zum Material neuer Werke: In seinem Drama *Geschichten aus Hollywood* (1982) über die deutschen Emigranten in der amerikanischen Filmmetropole lässt etwa Christopher Hampton (*1946) Horváth »wiederauferstehen«. 1992 wurde das Theaterstück mit Jeremy Irons (*1946) in der Rolle des Ödön von Horváth verfilmt. Ein Jahr später erlebte die Oper *Geschichten aus dem Wiener Wald* (1984/92) von Miro Belamarić (*1935), die nach Horváths gleichnamigem Bühnenwerk entstand, ihre Uraufführung in Karlsruhe. Aber auch *Kasimir und Karoline* diente als Vorlage für ein neues Werk. Für das Musical *Knock Out Deutschland* griffen das Autoren- und Regieteam Armin Petras und Philipp Stölzl auf Horváths Stück zurück und insze-

Ch. Hampton

M. Belamarić

nierten im Oktober 1994 in Chemnitz ein deutsches Boxerdrama mit Songs des Berliner Rockmusikers Rio Reiser (1950–1996).

Deutungsansätze

Zu Horváths Lebzeiten konnte der interessierte Leser nur drei seiner Werke im Buchhandel erwerben: den Roman *Der ewige Spießer* 1930, ein Jahr später zwei Dramen, zunächst die *Italienische Nacht* und dann im Kontext der Verleihung des Kleist-Preises an den Autor die *Geschichten aus dem Wiener Wald*. Das Stück *Kasimir und Karoline* war erst 1961 in einer Anthologie von neun Stücken in Buchform zu lesen. Die Publikation der *Gesammelten Werke* im Jahr 1970 machte schließlich eine genauere Lektüre seiner Werke und eine philologisch ernsthafte Auseinandersetzung mit dem Autor möglich. Deshalb überrascht es kaum, dass Interpretationen und Würdigungen Horváths zunächst nur in Theater-, Romanrezensionen oder in allgemeinen Essays von Zeitgenossen (Ulrich Becher, Franz Theodor Csokor, Hans Weigel u. a.) und später oft in nicht in Buchform publizierten Dissertationen und germanistischen Hausarbeiten zu finden waren.

Insofern wird bis fast zur Mitte der Siebzigerjahre Horváths Bild in der literarischen Öffentlichkeit weitgehend von der publizistischen Kritik bestimmt. Sie begründet frühzeitig das Schema, wonach Horváths Werk letztlich in zwei Teile zerfalle, plastisch formuliert in Urs Jennys These: »Das Überzeitliche, verschwommen Metaphysische ist hingewelkt, das Zeitbezogene aktuell geblieben.« Und zur Begründung heißt es anlässlich der Publikation der *Gesammelten Werke* etwas genauer und beispielhaft für viele Stimmen: »Was Horváths Größe ausmacht, ist in dem unheimlich kurzen Zeitraum von knapp drei Jahren (1930 bis 1932) entstanden: der Roman *Der ewige Spießer* und die vier Stücke *Italienische Nacht*, *Geschichten aus dem Wiener Wald*, *Kasimir und Karoline* und *Glaube Liebe Hoffnung*, die als realistische Zeitbilder im deutschen Theater dieses Jahrhunderts durchaus einzigartig dastehen. Davor: ein sehr gerader Anlauf zu diesen Meisterwerken, vage Entwürfe voller präziser Details, Fragmente, charakteristische Vorformen; danach: eine seltsame Wandlung, weniger Entwicklung als Regression zu nennen, eine Auflösung in hektisch sprunghafter Arbeit, deren innere Orien- U. Jenny tierungslosigkeit kaum ganz aus den äußeren Zwängen der Emigrantensituation zu erklären ist« (Urs Jenny, in: Mat. III, S. 72).

An dieser Zweiteilung, gepaart mit der Zuneigung zum Dramatiker und der Abneigung gegenüber dem Prosaautor (vgl. exemplarisch für viele andere Karasek, in: Mat. III, S. 79 ff.), orientierte man sich vorerst, und sie blieb für manch späteres Werturteil grundlegend. Es lag deshalb für die ersten umfangreicheren Untersuchungen nahe, sich v. a. auch mit diesen Wertschätzungen und letztlich deren Begründung auseinanderzusetzen, wie etwa Axel Fritz 1973 mit seinem Versuch, *Ödön von Horváth als Kritiker seiner Zeit* zu charakterisieren. Gerne beriefen sich die ersten Analysen auf im Kontext der *Gesammelten Werke* vorliegende Selbstaussagen des Autors, v. a. auf die beliebte Charakteristik Horváths in seiner »Gebrauchsanweisung«, er sei ein »treuer Chronist seiner Zeit«. Die detaillierte Studie von Axel Fritz prägte lange Zeit den Tenor der Gesamteinschätzung Horváths und passte zudem ins Bild der gesellschaftlich bewegten Zeiten der Siebzigerjahre. Horváth konkret als »Kritiker der Zeit« vorzustellen bedeutete nach Fritz, in *Kasimir und Karoline* v. a. die Mittelstandsproblematik (S. 119 ff.) als zentrales Thema zu betonen, die Kleinbürgerideologie als »Flucht ins Irrationale« (S. 208 ff.) konsequent offen zu legen, Autoritarismus (S. 178 ff.) sowie die Lage der »Frauen zwischen Ausbeutung und Emanzipation« (S. 184 ff.) zu beschreiben und neben dem Thema der Arbeitslosigkeit und den entsprechenden Konsequenzen (S. 136 ff.) auch die neue Begeisterung für Sport und Technik (S. 219 ff.) gründlich zu untersuchen. Insgesamt hatte sich diese Interpretation vorgenommen, »die thematische Dominanz, aber auch das Gewicht von Horváths Zeitkritik zu zeigen, wobei dieser zwar zugegebenermaßen unscharfe, aber etablierte Begriff das historisch-politische Zeitgeschehen sowie die sozialen und kulturellen Verhältnisse zu Horváths eigenen Lebzeiten umfaßt« (S. 12).

Die meisten folgenden Analysen lassen sich – vereinfacht gesprochen – in zwei Typen einteilen, die sich beständig abwechseln: 1. entweder als Fortführung, mitunter auch als korrektive Ergänzung dieser eher am Inhalt des Stücks orientierten Deutung oder 2. als Kritik an diesem eher thematischen Ansatz, weshalb diese Interpreten neben den Zeitbezügen v. a. die formalen Mittel Horváths und seine Kunst, Menschen qua Sprache zu charakterisieren, in den Mittelpunkt ihrer Betrachtungen stellen.

Deutet man *Kasimir und Karoline* sozialgeschichtlich, indem Horváths Sätze und die seiner Figuren bereits als konkrete Beschreibung einer historisch datierbaren Realität gelten, ist das Ergebnis so klar, wie es Hans Joas formuliert: »Thema des   H. Joas
Stücks ist die Liebe, und zwar, wie ein Untertitel sagt, ›in unserer schlechten Zeit‹; es geht also nicht um die Liebe an sich und über alle Zeiten, sondern um Liebe 1930, um Liebe in der krisengeschüttelten Gesellschaft gegen Ende der Weimarer Republik, um Liebe als höchste Form zwischenmenschlicher Beziehung und ihre Verzerrung unter den Bedingungen einer von der Herrschaft des Geldes geprägten Gesellschaft. Die Kraft, die die Beziehungen zwischen den Menschen und schließlich diese Menschen selbst deformiert, sowie die verschiedenen Versuche der Menschen, sich dieser Kraft zu entziehen oder sie zu überwinden: dies scheint die Grundproblematik des Stücks zu sein. Sie ist am stärksten konzentriert in dem Paar, das dem Stück den Namen gibt, sie ist in verschiedenen Spiegelungen abgewandelt und mit den Hauptpersonen verknüpft bei Schürzinger, dem Merkl Franz und seiner Erna. Zwar weniger im Zentrum des Stücks stehend, gehören auch Elli und Maria sowie die verschiedenen ›Abnormitäten‹ dazu. Diesen stehen als Profitierende, doch nicht minder Deformierte, Rauch und Speer und groteskerweise der Liliputaner, Chef der Abnormitäten-Schau, gegenüber« (Mat. IV, S. 47). Konsequent wird jede Figur und deren Verhaltensweise im Blick darauf gelesen, inwiefern sich im »äußerst präzisen Bild der gesellschaftlichen Probleme um 1930« diese gerade bei »Menschen verschiedener Klassenzugehörigkeit niederschlagen« (ebd., S. 54).

Für Martin Walder ist dagegen weniger die historische Realität   M. Walder
im Stück entscheidend als vielmehr dem Titel seiner Studie entsprechend *Die Uneigentlichkeit des Bewußtseins* (1974) – in ihr sieht er letztlich auch Horváths spezifische Dramaturgie begründet. Für ihn steht fest, dass diese »Uneigentlichkeit des Bewußt-

seins« in *Kasimir und Karoline* »nicht an einem bestimmten
Thema, dessen inhaltliche Aspekte im Drama personal aufgeteilt
sind, exemplifiziert, sondern in einer erschreckenden Wirklich-
keitsvielfalt dargestellt [wird]. Das dramaturgische Kräftefeld ist
weiter gespannt und komplexer geworden, damit für den Zuschauer unfaßbarer und, weil es ihn verunsichert, in der Wirkung auch stärker. Dem Verzicht auf die durchleuchtende Schärfe der modellartigen *Italienischen Nacht* steht in *Kasimir und
Karoline* die ›Schärfe‹ des Erlebnisses der Realität entgegen, deren beunruhigende Vielschichtigkeit immer präsent, wenn auch
kaum rational analysierbar ist, Erklärungen weniger liefert als
im Offenen, Unfixierten andeutet, damit aber die pathologische
Erscheinung soweit trägt, daß sie als solche durch ihre Hinter-
gründigkeit im Sinne eines kritischen Reizwertes von optimaler
Wirkung sein kann« (Walder, S. 47).

J. Hein Dagegen untersucht Jürgen Hein (1981) das Stück fast aus-
schließlich im Kontext der Gattung Volksstück sowie des Volks-
theaters als Institution und Intention. Insofern sind für ihn in
Horváths Drama v. a. die Abweichungen vom Bänkelsang bzw.
vom Volksstück alter Prägung von Interesse: »Das Stück beginnt
auf einem Schauplatz, auf dem die alten Volksstücke häufig en-
deten: das Fest, auf dem Verlobung, Versöhnung, Happy end
gefeiert wurden. Hier ist alles ›umgekehrt‹; statt Versöhnung
fortschreitende Entzweiung und Entfremdung, statt handlungs-
starkem ein handlungsschwacher Beginn, statt aktiven und op-
timistischen Figuren, solche, die von der Situation bestimmt
werden und eher resignativ wirken, statt eines Dialogs, in dem
die ›kleinen Leute‹ kompetent und sprachgewandt ihre Lage beherrschen und meistern, ein Schlagabtausch von Phrasen und
Klischees, der die Inkompetenz der Figuren demonstriert, ihre
Beherrschtheit durch die Sprache, die sie nicht beherrschen«
(Hein, S. 52 f.). Indem der Interpret v. a. Horváths Selbstaussagen folgt, etwa dessen Gruppeneinteilung in seiner »Gebrauchsanweisung« (vgl. S. 87), überraschen seine abschließenden Einsichten kaum: »*Kasimir und Karoline* ist nicht nur ein Zeitbild,
sondern ein Drama der durch Entfremdung verhinderten Kom-
munikation und Liebesfähigkeit und wird erst durch die Akzen-
tuierung der Sprachthematik zu einem Stück, das Einblick in

sozioökonomische und politische Zusammenhänge der Weimarer Republik gewährt. Dadurch, daß die Figuren keine Handlungs- und Ideenträger sind, daß keine zwischen ihnen und dem Publikum vermittelnde Kommentator-Figur den engen Horizont öffnet oder die zeitkritischen Themen reflektiert, wird das sprachliche Geschehen selbst thematisch« (ebd., S. 59).

Wer diese Art von Erkenntnissen über das Drama und seine Sprache weniger komprimiert, als es die Form eines Aufsatzes erlaubt, und eher erschöpfender, ergänzt auch mit Material aus anderen Werken lesen möchte, dem bietet sich zum einen Winfried Noltings Studie *Der totale Jargon. Die dramatischen Beispiele Ödön von Horváths* (1976) an. Zum anderen liegt mit Hajo Kurzenbergers Studie aus dem Jahre 1974 eine grundlegende und umfassende Darstellung zur poetischen Form von Horváths Volksstücken vor, die präzise nachzeichnet, welche Bedeutung diese für das Œuvre von Ödön von Horváth hatte. Volker Klotz ergänzt diese Studie 1976 um lesenswerte Einsichten darüber, was einerseits all dies für das Publikum und dessen Reaktionen bedeutet, worauf Horváths »Reagenzdramaturgie« im Einzelnen reagiert und auf welche künstlerische Art und Weise andererseits Horváth sein »Wirklichkeitskonstrukt ›Rummelplatz‹« in Szene setzt, jenes »Regelsystem aus dosierten Sensationen, feilgebotenen Abnormitäten, gesteuerten und zufälligen Bewegungen, aus jederzeit kündbaren sozialen Klassenvermischungen, aus Bizepsstolz und Katzenjammer« (Klotz, S. 212).

Im Laufe der Achtzigerjahre erschienen gleich mehrere Materialienbände zu Ödön von Horváth und seinem Werk, die mitunter entsprechende Kurzfassungen längerer Studien (vgl. Haag, Hell in: Mat. IX, S. 66 ff., S. 181 ff.) boten; doch nur den *Geschichten aus dem Wiener Wald* war eine Einzelpublikation gewidmet. Für *Kasimir und Karoline* schienen sich die Interpreten weniger zu interessieren – sieht man von zwei Beiträgen ab, die sich jedoch nicht sosehr der detaillierten Analyse des Stücks widmeten als vielmehr dem Versuch, den eigens gewählten methodischen Ansatz vorzustellen. Jeweils auf einem Horváth-Symposion vorgetragen, glaubte Stefan H. Kaszynski (1989) in *Kasimir und Karoline* eine »Poetik des Destruktiven« zu entdecken. Dabei folgte er den Spuren Michael Bachtins (1895–1975)

W. Nolting

H. Kurzenberger

V. Klotz

St. H. Kaszynski

und dessen Konzept vom »Karneval als umgestülpter Welt«,
J. Bossinade   wohingegen Johanna Bossinade (1988) mit Georges Bataille
(1897–1962) und zahlreichen poststrukturalistischen Theoreti-
kern im Gepäck Horváths allgemeine Ambivalenzen im »thematischen Bereich von Liebe, Tod und Geschlecht« nachgezeich-
net hatte.

Weit wichtiger als Untersuchungen zu einzelnen Werken Horváths waren in den Achtzigerjahren jedoch diejenigen Untersuchungen, die sich zentralen Themen in Horváths Œuvre zu-
wandten. Darunter sind zwei Analysen besonders hervorzuhe-
M. Hell   ben: Martin Hells aufschlussreiche Schilderung des Motivs
Kitsch als Element der Dramaturgie Ödön von Horváths (1983)
P. Oellers   und Piero Oellers' Ausführungen über *Das Welt- und Menschenbild im Werk Ödön von Horváths* (1987). Beide Studien
stehen in der Tradition eines eher positivistischen Ansatzes, der
zunächst mit Vorliebe Figuren und Themen kategorisiert und
sich danach v. a. um die Beschreibung spezifischer Inhalte kümmert. Daher bleiben Fragen nach deren besonderer Gestaltung
im Drama oder im Roman eher sekundär. Gleichwohl zeigen
beide Analysen en détail, dass sich Horváth immer wieder mit
diesen Motiven beschäftigte und sich dabei des öfteren der gleichen Bilder bediente. Insofern können ihre Ergebnisse auch als
Grundlage all jener Arbeiten gelten, die sich in den Neunzigerjahren wieder vermehrt den spezifischen Formen widmen, in denen Horváth seine Vorstellungen auf die Bühne brachte.

Neben den Einsichten Jeong-Yong Kims, der *Das Groteske in
den Stücken Ödön von Horváths* (1995) nachzeichnet, vermag
I. Haag   auch Ingrid Haags Ansatz Neues zu bieten. Für sie lassen sich
einige Dramen Horváths als Exemplare einer *Fassaden-Dramaturgie* (1995) charakterisieren, wonach deren Besonderheit
v. a. in einer spezifischen theatralischen Form liegt. Damit inszeniert Horváth sein Spiel von Zeigen und Verbergen und
macht letztlich das »Unsichtbarmachen von Gewaltausübung
und Verbrechen« zu seinem Thema. Für die Autorin ergibt sich
daraus folgende Aufgabe: »Das auf der Bühne Sichtbare und
Hörbare ist auf seine Fassadenhaftigkeit hin zu hinterfragen, als
Vor-gestelltes. Hiermit bietet sich eine Analogie zu Freuds
Traummodell an. Die Bilder des Traumes zeigen, indem sie ver-

stellen. Die Formen dieser Verstellung sind Gegenstand der Interpretation, die den latenten Text zu ent-decken versucht, und für die uns Freuds *Traumdeutung* mit den Mechanismen der Verschiebung und Verdichtung brauchbare Deutungsverfahren geliefert hat. [. . .] Unser Vorhaben besteht darin, herauszulesen, was der Text verschweigt hinter dem, was er sagt: warum er es durch *diese* Rede sagt und nicht durch eine andere. Textarbeit wird *analog* verstanden zu Traumarbeit, das heißt, wir sehen im Text dieselben Mechanismen am Werk, die im Traum die latenten Inhalte zum manifesten Bericht verwandeln« (Haag, S. 6 f.). Für *Kasimir und Karoline* bedeutet dies konkret: »Die in eine Vielzahl von kleinen Szenen aufgesplitterte Struktur des Stücks erweckt den Anschein eines Bilderbogens, wo die einzelnen Stationen sich beliebig aus Karolines Festbummel zu ergeben scheinen. Diesen Eindruck, der zusammengeht mit der Reproduzierung eines vertrauten Lokalkolorits dank des visuellen und akustischen Dekors, deuten wir im Sinne einer dramaturgischen Strategie: Die Fassade einer spontanen, heimlich-gemütlichen Festsituation wird aufgebaut, um dahinter deren unheimliche Kehrseite aufzudecken. Ausgehend von der Zahl sieben des Untertitels, natürlich gleichzeitig als balladenhaft symbolische zu deuten, ergibt sich ein Strukturprinzip, das völlig auf der Szenerie des Jahrmarkts gründet« (ebd., S. 145). Diesem Konzept folgend gelingen Haag nicht nur genaue Beobachtungen einzelner Szenen, sondern sie versteht es zudem, manches scheinbar unwichtige Bühnendetail zum Sprechen zu bringen (vgl. z. B. ihre Deutung von Karolines Auftritt beim Toboggan, S. 160 ff.).

In den Neunzigerjahren begann die Horváth-Forschung überdies, die anfängliche Zweiteilung des Werkes nochmals genauer zu erforschen, wobei Christian Schnitzler 1990 erneut die Frage Ch. Schnitzler stellte, wie es um den »politischen Horváth« bestellt sei. Kann man die Erörterung dieser Thematik als Ende einer Kreisbewegung sehen, die mit dem Horváth-Kolloquium 1971 begann, als Urs Jenny die doppelte Parole ausgab: »Horváth realistisch, Horváth metaphysisch«, so besteht mittlerweile Einigkeit darüber, dass dieser Autor immer schon beides war. Es überrascht daher kaum, wenn sich die beiden neueren Interpretationen der letzten Jahre ebenso komplementär lesen lassen. Johanna Bossinades Aufsatz (1996) möchte eher den Blick nach vorn werfen, während sich Kurt Bartschs Monographie (2000) als konzise Zusammenfassung bisheriger Interpretationen anbietet.

J. Bossinade

Den Pfaden der psychoanalytischen Sehweise folgend versucht Bossinade keineswegs, »das Deutungsmuster der Demaskierung zu ›demaskieren‹«, sondern möchte es vielmehr durch ein »anderes Muster ergänzen«. Dieses orientiert sich am Sprachmodell des französischen Psychoanalytikers Jacques Lacan (1901–1981) und zeigt *Kasimir und Karoline* als »ein Drama der entstellten Rede« (S. 402). Zu Recht betont Bossinade die zahlreichen Hinweise auf das Reden, Sprechen und Sagen innerhalb des Stücks, um dann mittels der Theorie Lacans festzuhalten: »Horváths Stück offenbart, was die Personen über ihre unmittelbare Rede hinaus ›sonst noch‹ sagen, und zwar ohne daß es ihnen bewußt ist. Für das Publikum des Werks ist das Spannungsverhältnis dank der exponierten Anlage der Dialoge erkennbar. Was Horváth gemäß dieser Perspektive ›demaskiert‹, ist nicht lediglich ein Triebanspruch hinter dem Bewußtsein der Redenden oder eine Fehleinschätzung ihrer Geschlechts- und Klassenlage. Es ist vielmehr oder immer auch die strukturelle Entstellung der Rede selbst. Ohne diesen sprachlichen Grundzug kämen die ›Fehlleistungen‹ der Figuren vermutlich nicht einmal zum Tragen. Daß die entstellte Rede des Stücks für die Rezipienten offen zutage liegt, heißt indessen nicht, daß sie leicht verstehbar wäre; sie erfordert im Gegenteil eine hohe Achtsamkeit für sprachliche Vorgänge. Aus genau dem Grund vermag das Deutungsmuster der entstellten Rede das Muster der Demaskierung wirkungsvoll zu ergänzen: Es unterstützt die Rezeptionsweise, die Horváth selbst mit Hilfe seiner Demaskierungsforderung durchzusetzen bemüht war« (S. 420 f.). Lässt sich über die Vorstellung, in Horváths Stücken spreche neben einem »direkter erkennbaren Ich der Personen stets etwas ›anderes mit‹«, was »die besondere Dichte der Horváthschen Kunstsprache« ausmache, noch trefflich streiten, scheinen die Ausführungen der Interpretin über die »intertextuelle Schicht der Entstellung« weniger nachvollziehbar; schließlich ist es eine beliebte Vorstellung von Literaturwissenschaftlern, Autoren hätten ihre Motive weniger aus der Realität bezogen als aus der Lektüre von Kollegen. Oder welche Theaterbesucher hätten bisher gedacht – so ist zu fragen –, Kasimir wirke, »als sei er aus dem Soldaten Woyzeck und dem Leonce bei Büchner regelrecht zusammengeschnitten«?

Dagegen hält sich Kurt Bartschs Interpretation mehr am konkreten Text, an den Figuren und deren Verhalten: Karoline »ist Opfer ihres ›falschen‹ Bewußtseins, falsch im Sinne des Selbstbildes (ein ›wertvolle[s] Weib‹ zu sein, das seinem in Not geratenen Mann treu zur Seite steht), eines falschen Standesdünkels und kitschiger Wunschvorstellungen, unfähig auch aus Erfahrungen zu lernen, die sie wiederum in einem geborgten und kitschigen Jargon formuliert: ›Man hat halt oft so eine Sehnsucht in sich – aber dann kehrt man zurück mit gebrochenen Flügeln und das Leben geht weiter, als wäre man nie dabei gewesen –‹. Kasimir hingegen entwickelt ein gewisses Bewußtsein seiner Situation [. . .] und scheint lernfähig. Immerhin lehnt er die allgemeine Zeppelin-Euphorie als ›Schwindel‹ ab, weil in ihr die sozialen Ungerechtigkeiten fortgeschrieben werden und sich durch sie die falschen erhoben fühlen« (Bartsch, S. 92). Aber auch Bartsch sieht am Ende durch Ernas und Kasimirs sentimentalen Gesang die Dominanz des kleinbürgerlichen Bewusstseins bestätigt. In der Umkehrung des traditionellen Happy-Ends, bei dem sich die »richtigen« Partner letztlich finden, liegt für ihn das Motiv für Horváths Personenkonstellation: »Denn gerade im Wechsel und im Finden von Partnern erweist sich das Fehlen von Spielraum für das Kleinbürgertum der Zeit, dessen Illusionen wie Seifenblasen zerplatzen« (ebd., S. 93). Der interessierte Horváth-Leser erhält mit dieser Gesamtdarstellung eine kenntnisreiche Schilderung von Leben und Werk, das der Interpret in »drei Phasen gliedert, ohne daß die Grenzen allzu scharf zu ziehen sind: – das Frühwerk bis etwa 1925, – das literarische Schaffen zwischen 1926 und 1933 mit den berühmten Volksstücken und dem Roman *Der ewige Spießer* im Zentrum – schließlich das Werk nach 1933, zu dem unter anderem Dramen wie *Die Unbekannte aus der Seine*, *Figaro lässt sich scheiden* oder *Der jüngste Tag* und die beiden Romane *Jugend ohne Gott* und *Ein Kind unserer Zeit* zählen« (S. 16). Neben einer ausführlichen

K. Bartsch

Beschreibung all seiner Arbeiten findet sich in diesem Band zugleich eine zusammenfassende und kundige Erörterung zentraler Begriffe für Horváths literarisches Werk 1926–1933: »Kleinbürgertum«, »Demaskierung des Bewußtseins«, »Bildungsjargon« sowie »Erneuerer des Volksstücks« (S. 33 ff.).

Literaturhinweise

Die Verweise auf Horváths Texte beziehen sich auf die Ausgabe:
Ödön von Horváth. *Gesammelte Werke*. Kommentierte
Werkausgabe von Traugott Krischke unter Mitarbeit von Susanna Foral-Krischke. Frankfurt/M. 1983 ff. (genannt werden Band und Seitenzahlen).

A. Textausgaben »Kasimir und Karoline«

Kasimir und Karoline. Volksstück [Bühnenmanuskript]. Berlin
1932
Kasimir und Karoline, in: *Gesammelte Werke* [in vier Bänden].
Hg. v. Dieter Hildebrandt, Walter Huder und Traugott
Krischke. Frankfurt/M. 1970 f., Bd. 1, S. 253 ff. [= GW
1970]
Kasimir und Karoline, in: Ödön von Horváth, *Gesammelte
Werke* [in acht Bänden]. Werkausgabe der edition suhrkamp.
Hg. v. Traugott Krischke und Dieter Hildebrandt. Frank-
furt/M. 1972, Bd. 1, S. 253 ff.
Kasimir und Karoline. Hg. und mit einem Nachwort versehen v.
Traugott Krischke. Frankfurt/M. 1972 [= BS 316]
Kasimir und Karoline, in: Ödön von Horváth, *Gesammelte
Werke* [in vier Bänden]. Hg. v. Traugott Krischke unter Mit-
arbeit von Susanna Foral-Krischke. Frankfurt/M. 1988, Bd.
2, S. 309 ff. [= GW 1988]
Kasimir und Karoline, in: Ödön von Horváth, *Gesammelte
Werke* [in vierzehn Bänden]. Kommentierte Werkausgabe in
Einzelbänden. Hg. v. Traugott Krischke unter Mitarbeit von
Susanna Foral-Krischke. Frankfurt/M. 1986, Bd. 5, S. 67 ff.

B. Materialien zu Ödön von Horváth und »Kasimir und Karo-line«

Materialien zu Ödön von Horváth. Hg. v. Traugott Krischke.
Frankfurt/M. 1970 [= Mat. I]
Materialien zu Ödön von Horváths »Geschichten aus dem

Wiener Wald«. Hg. v. Traugott Krischke. Frankfurt/M. 1972 [= Mat. II]

Über Ödön von Horváth. Hg. v. Dieter Hildebrandt u. Traugott Krischke. Frankfurt/M. 1972 [= Mat. III]

Materialien zu Ödön von Horváths »Kasimir und Karoline«. Hg. v. Traugott Krischke. Frankfurt/M. 1973 [= Mat. IV]

Ödön von Horváth. Leben und Werk in Dokumenten und Bildern. Hg. v. Traugott Krischke u. Hans F. Prokop. Frankfurt/M. 1972 [= Mat. V]

Ödön von Horváth. Leben und Werk in Daten und Bildern. Hg. v. Traugott Krischke u. Hans F. Prokop. Frankfurt/M. 1977 [= Mat. VI]

Ödön von Horváth. Hg. v. Traugott Krischke. Frankfurt/M. 1981 [= Mat. VII]

Horváths »Geschichten aus dem Wiener Wald«. Hg. v. Traugott Krischke. Frankfurt/M. 1983 [Mat. VIII]

Horváths Stücke. Hg. v. Traugott Krischke. Frankfurt/M. 1988 [= Mat. IX]

Horváth Chronik. Daten zu Leben und Werk. Von Traugott Krischke. Frankfurt/M. 1988 [= Mat. X]

Horváth auf der Bühne 1926–1938. Dokumentation von Traugott Krischke. Wien 1991 [= Mat. XI]

C. *Interpretationen zu Horváths »Kasimir und Karoline«*

Bossinade, Johanna, »Eros Thanatos in Horváths Volksstück«, in: *Sprachkunst* 19 (1988) S. 43–70

Bossinade, Johanna, »Ödön von Horváth: ›Kasimir und Karoline‹. Entstellte Rede«, in: *Dramen des 20. Jahrhunderts*, Bd. 1. Stuttgart 1996, S. 399–423

Haag, Ingrid, *Ödön von Horváth. Fassaden-Dramaturgie. Beschreibung einer theatralischen Form*. Frankfurt/M. u. a. 1995, S. 139–164

Hein, Jürgen, »Ödön von Horváth: Kasimir und Karoline«, in: Harro Müller-Michaels (Hg.): *Deutsche Dramen*, Bd. II. Weinheim [1981] ³1996, S. 40–65

Kaszynski, Stefan H., »Horváths Poetik des Destruktiven. Überlegungen zur Lesart des Stückes ›Kasimir und Karoline‹«, in: *Literatur und Kritik* 237/238 (1989), S. 323–331

Walder, Martin, *Die Uneigentlichkeit des Bewußtseins. Zur Dramaturgie Ödön von Horváths*. Bonn 1974, S. 37–56

D. Allgemeine Literatur zu »Ödön von Horváth«

Bartsch, Kurt u. a. (Hg.), *Horváth-Diskussion*. Kronberg/Ts. 1976

Bartsch, Kurt, *Ödön von Horváth*. Stuttgart/Weimar 2000

Fritz, Axel, *Ödön von Horváth als Kritiker seiner Zeit*. München 1973

Hell, Martin, *Kitsch als Element der Dramaturgie Ödön von Horváths*. Bern u. a. 1983

Hildebrandt, Dieter, *Ödön von Horváth in Selbstzeugnissen und Bilddokumenten*. Reinbek b. Hamburg 1975

Karlavaris Bremer, Ute/Karl Müller/Ulrich N. Schulenburg (Hg.), *Geboren in Fiume. Ödön von Horváth 1901–1938*. Wien 2001

Kastberger, Klaus (Hg.), *Unendliche Dummheit – dumme Unendlichkeit*. Wien 2001

Kim, Jeong-Yong, *Das Groteske in den Stücken Ödön von Horváths*. Frankfurt/M. u. a. 1995

Klotz, Volker, *Dramaturgie des Publikums*. München 1976

Krischke, Traugott, *Ödön von Horváth. Kind seiner Zeit*. München 1980

Kurzenberger, Hajo, *Horváths Volksstücke. Beschreibung eines poetischen Verfahrens*. München 1974

Lunzer, Heinz/Victoria Lunzer-Talos/Elisabeth Tworek (Hg.), *Horváth – Einem Schriftsteller auf der Spur*. Salzburg 2001

Nolting, Winfried, *Der totale Jargon. Die dramatischen Beispiele Ödön von Horváths*. München 1976

Oellers, Piero, *Das Welt- und Menschenbild im Werk Ödön von Horváths*. Bern u. a. 1987

Schnitzler, Christian, *Der politische Horváth. Untersuchungen zu Leben und Werk*. Frankfurt/M. u. a. 1990

Wort- und Sacherläuterungen

7.2 **Volksstück:** Die meisten seiner Stücke charakterisierte Horváth
als Volksstücke im Untertitel, so *Die Bergbahn, Italienische
Nacht, Kasimir und Karoline.* Die Wahl der Gattung, deren Ur-
sprünge im Wien des 18. Jh.s liegen, waren für Horváth sehr
wichtig, weshalb er in einem Radiointerview im Jahre 1932 aus-
drücklich betonte: »Ich gebrauchte diese Bezeichnung ›Volksstück‹ nicht willkürlich, d. h. nicht einfach deshalb, weil meine
Stücke mehr oder minder bayerisch oder österreichisch betonte
Dialektstücke sind, sondern weil mir so etwas ähnliches, wie die
Fortsetzung des alten Volksstückes vorschwebte. [...] Also: zu
einem heutigen Volksstück gehören heutige Menschen, und mit
dieser Feststellung gelangt man zu einem interessanten Resultat:
nämlich, will man als Autor wahrhaft gestalten, so muß man der
völligen Zersetzung der Dialekte durch den Bildungsjargon
Rechnung tragen« (Bd. 11, S. 200 f.). Vgl. zur Gattungsgeschich-
te neben Horváths »Gebrauchsanweisung« auch die knappe
Darstellung »Ödön von Horváth und die Volksstücktradition«
von Hellmuth Himmel (Mat. VII, S. 46 ff.), Alfred Dopplers
»Bemerkungen zur dramatischen Form der Volksstücke Horváths« (in: Bartsch (Hg.), 1976, S. 11 ff.) sowie Hajo Kurzenbergers umfangreiche Studie. Daneben sei auf die *Dramaturgie
des Publikums* von Volker Klotz (1976) verwiesen, der Horváths
Bühnenwerke als »aktive Auseinandersetzung zwischen neuem
und altem Volksstück. Nämlich: das zweitaktige Widerspiel von
Fortsetzung und Zerstörung, von Montage und Demontage« (S.
188) beschreibt.

7.3 **Motto:** Horváth liebte es, seinen Stücken um 1931 Motti vor-
anzustellen. In seiner »Randbemerkung« zum Stück *Glaube
Liebe Hoffnung* (1932) heißt es am Ende: »*Glaube Liebe Hoffnung* könnte jedes meiner Stücke heißen. Und jedem meiner
Stücke hätte ich auch folgende Bibelstelle als Motto vorausset-
zen können, nämlich: *Und der HERR roch den lieblichen Geruch und sprach in seinem Herzen: Ich will hinfort nicht mehr
die Erde verfluchen um der Menschen willen, denn das Trachten
des menschlichen Herzens ist böse von Jugend auf; und ich will*

hinfort nicht mehr schlagen alles was da lebet, wie ich getan habe. So lange die Erde stehet, soll nicht aufhören Samen und Ernte, Frost und Hitze, Sommer und Winter, Tag und Nacht. Mos. I. 8,21« (Bd. 6, S. 13).

Und die Liebe höret nimmer auf.: Vgl. 1. Kor 13,8–9: »Die Lie-   7.4
be hört niemals auf, während doch das prophetische Reden aufhören wird und das Zungenreden aufhören wird und die Erkenntnis aufhören wird.« In der Ankündigung der Leipziger Premiere am 18. November 1932 hatte das Stück noch den Untertitel »Ein Abend auf dem Oktoberfest von Ödön von Horváth«
sowie die erste Strophe des vierten der 1822 entstandenen »Sieben Lieder« Heinrich Heines (1797–1856) als Motto: »Es leuch-
tet meine Liebe, / In ihrer dunklen Pracht, / Wie ein Märchen
traurig und trübe, / Erzählt in der Sommernacht« (vgl. Mat. IV,
S. 85). Horváth wählte das Motto »Und die Liebe höret nimmer
auf« auch für den dritten Teil »Herr Reithofer wird selbstlos«
(Bd. 12, S. 257) seines Romans *Der ewige Spießer*. 1979 diente
es schließlich dem ital. Regisseur und Theaterleiter Roberto
Ciulli (*1934) als Titel für eine Textmontage aus Einzelszenen
der vier Volksstücke *Italienische Nacht, Geschichten aus dem
Wiener Wald, Kasimir und Karoline, Glaube Liebe Hoffnung*
(vgl. *Theater heute* 20, 1979, H. 9, S. 14–22).

Kasimir: Horváths Namenswahl orientiert sich weit mehr am   8.1
Lautklang seiner beiden Hauptfiguren als an ihrer Herkunft. Als
»Friedensstifter«, so die Bedeutung des aus dem Poln. stammen-
den Vornamen, kann Kasimir im Stück nun gerade nicht gelten.

Münchener Oktoberfest: Am Anfang der Geschichte des Ok-   8.7–8
toberfestes steht ein Pferderennen, das anlässlich der Vermäh-
lung von Kronprinz Ludwig (1786–1868) mit Prinzessin The-
rese von Sachsen-Hildburghausen (1792–1854) am 17. Oktober 1810 stattfand, fünf Tage nach der Hochzeit. Daraus entwickelte sich durch die alljährliche Wiederholung des um das
Rennen veranstalteten Festes schließlich das »Oktoberfest«, das
seit 1811 zusammen mit dem »Zentrallandwirtschaftsfest« auf
der Theresienwiese im SW Münchens gefeiert wird, 16 Tage
dauert und am ersten Sonntag im Oktober endet. Bereits 1818
waren auf diesem Fest Schaukeln, Karussells, Kegelbahnen zur
Volksbelustigung ebenso zu finden wie zahlreiche gastronomi-

sche Betriebe, die beide zusammen dieses Fest rasch zum bekanntesten in Deutschland machten (vgl. hierzu wie auch zu zahlreichen Einzelheiten des Oktoberfests den Ausstellungskatalog *Das Oktoberfest. Einhundertfünfundsiebzig Jahre Bayerischer National-Rausch*, München 1985).

8.8 **in unserer Zeit**: Ebenso wie die *Geschichten aus dem Wiener Wald* (SBB 26, S. 8) lässt Horváth das Stück um 1930 spielen und damit in den Folgejahren der Weltwirtschaftskrise.

9.2–3 *das Orchester spielt*: Für die Lektüre sind diese Szenen zugleich Markierungszeichen, indem sie jeweils auf den entsprechenden Schauplatz einzustimmen versuchen. Zusammengenommen ergeben diese insgesamt neun Musikstücke (Szenen 1, 7, 20, 38, 57, 72, 84, 99, 108) ein Potpourri beliebter Melodien: Märsche, Walzer, bayer. Volksmusik wechseln sich mit Operettenmelodien ab. Vgl. zur Funktion der Musik in diesem Stück die Anmerkungen Wilhelm Martin Baumgartners (Mat. IX, S. 171 ff.).

9.3 *»Solang der alte Peter«*: Eigentlich ein Wienerlied von Carl Lorens (1851–1909) aus den Siebzigerjahren des 19.Jh.s. Kurze Zeit später arrangierte Michl Huber das Lied für München, wo es seither mehrfach umgedichtet wurde und als eine Art »Münchner Nationalhymne« gilt (der vollständige Text findet sich in der 59. Szene; vgl. S. 42,9 ff.). Die Musik wird in Horváths Stück »zum signifikanten Element einer Kontrastmontage: Die Lokalhymne das Heimisch-Heimliche repräsentierend tritt in Gegensatz zum fremd-exotischen Schauplatz, dem Dorf der Lippennegerinnen, wo das Anormale zur Schau gestellt wird. In dieser Gegenüberstellung von Normalität und Monstrosität erscheint das Monströse als Jahrmarktsnummer ausgestellt, als Spiel im Spiel scharf abgegrenzt« (Haag, S. 146).

9.6 *Schauplatz*: Angesichts der realen Unüberschaubarkeit des Oktoberfestes, die Horváth gleichfalls durch die Vielzahl einzelner Szenen auf der Bühne zu zeigen versucht, bietet der Hinweis auf die einzelnen Schauplätze dem Leser des Stückes die Möglichkeit, Ordnung im vermeintlichen Chaos zu finden, weshalb auch von einer »Karussell«-Dramaturgie gesprochen werden kann. Insofern ergeben sich folgende neun Stationen während des Oktoberfestbesuchs von Kasimir und Karoline: Vom Dorf der Lippennegerinnen (I, Szene 2–6) und der Achterbahn (II, Szene

8–19) geht es weiter zur Riesenrutschbahn (III, Szene 21–37) und schließlich zur Abnormitätenschau (IV, Szene 39–55). Nach einer Pause (Szene 56) beginnt der Rundgang im Wagnerbräu (V, Szene 58–71), führt danach vorbei am Hippodrom (VI, Szene 73–83) zum Parkplatz (VII, Szene 85–98). Von dort wechselt das Geschehen schließlich zur Sanitätsstation (VII, Szene 100–107), um letztlich am Parkplatz (IX, Szene 109–117) zu enden.

Lippennegerinnen: Der Schausteller Carl Gabriel (1857–1931) 9.7
sorgte 1928 für das »Ereignis« auf dem Oktoberfest, als er die bis dahin größte »Riesen-Völkerschau« präsentierte und zwei Jahre später neben den 400 Farbigen auch noch eine »Völkerschau der aussterbenden Lippen-Negerinnen vom Stamme der Sara-Kaba Central-Afrika« zeigte (vgl. das Ankündigungsplakat aus dem Jahre 1930, in: *Das Oktoberfest*, a.a.O., S. 368).

Rechts ein Haut-den-Lukas [. . .] mit einem Orden).: Die de- 9.9–15
taillierte Beschreibung dieses Gerätes mag sich dadurch erklären: »In dieser Mechanik spielen die beiden Pole der Vertikalität gleichzeitig, und die Art, wie sie ins Spiel kommen, läßt diese Maschine als ironischen Kommentar zum gesellschaftlichen Regelsystem erscheinen: Um nach oben zu kommen, muß man unten Schläge austeilen, und je stärker man unten schlägt, desto höher kommt man hinauf« (Haag, S. 148).

Zeppelin: Während des Oktoberfestes 1928, das vom 22. Sep- 9.17
tember bis 7. Oktober dauerte, überflog das nach seinem Konstrukteur Ferdinand Graf von Zeppelin (1838–1917) benannte, 236 m lange Luftschiff gleich dreimal die Stadt München. Horváth sah in diesem ein Motiv, um auf den wachsenden Nationalismus hinzuweisen, weshalb er die Bewunderung für den Zeppelin, der seit seinem Start am 2. Juli 1900 als »Stolz der Deutschen« galt und im Ersten Weltkrieg zahlreiche Einsätze flog, auch in *Geschichten aus dem Wiener Wald* (SBB 26, S. 81) thematisierte.

Oktoberfestwiese: Eigentlich die Theresienwiese mit der 16 m 9.18
hohen Eisenfigur »Bavaria« als Wahrzeichen der »Wies'n«. Vgl. zur Bedeutung des Schauplatzes im Allgemeinen und des Rummelplatzes im Besonderen in Ödön von Horváths Stücken die Anmerkungen von Elizabeth Gough (Mat. III, S. 107 ff.).

Geheul mit allgemeinem Musiktusch und Trommelwir- 9.18–19

bel: Friedrich Dürrenmatt (1921–1990) machte 1968 anhand der Inszenierung Hans Hollmanns in Basel zu Recht darauf aufmerksam, wie sehr die Rummelplatzmusik das Stück bestimme und wie diese dementsprechend zu inszenieren sei: »Hollmann versucht, den Lärm des Oktoberfestes durch Spiel darzustellen, die hineingespielte Musik war eine schauspielerische Eselsbrücke, sie sollte den Schauspieler zwingen, so zu sprechen, wie man im Lärm des Oktoberfestes sprechen würde« (Mat. IV, S. 207).

9.21 **Eckener**: Hugo Eckener (1868–1954) war seit 1911 Direktor der Deutschen Luftschiffahrts-A.G., und in dieser Eigenschaft veranlasste er den Bau des Luftschiffes »Graf Zeppelin« (LZ 127) mit den Mitteln einer Volksspende. Mit diesem Zeppelin brach er am 11. Oktober 1928 zunächst zu einer Amerikafahrt auf, ein Jahr später dann zu einer Weltfahrt und 1931 schließlich zu einer Polarfahrt.

9.22 **Heil!**: Seit 1925 war »Heil Hitler« offizieller Gruß der Nationalsozialisten.

9.25 **Ein Liliputaner**: Volkstümliche, auf Jonathan Swifts (1667–1745) Roman *Gullivers Reisen* (1726) zurückgehende Bezeichnung für Menschen mit zwergenhaftem Wuchs. Auf dem Münchner Oktoberfest gehörten Liliputaner v. a. zum Programm des Schaustellers Paul Pötzsch. Für Hellmuth Karasek findet der Zuschauer dabei »die simpelste und primitivste Gelegenheit zur Überheblichkeit [. . .]. So übel er auch dran ist – hier findet er jemanden der noch übler dran ist. So klein er sich auch vorkommen mag – Liliputaner sind noch kleiner. Dies ist die eine Seite. Und die andere, die Horváth einsetzt und benutzt: er zeigt, wie gesellschaftlich Verkrüppelte sich an den Verkrüppelungen der Natur weiden, wie sie das Abnorme ihrer Verhältnisse vergessen, sich von ihm ablenken, indem sie die Abnormitäten betrachten« (Mat. IV, S. 71 f.). Vgl. auch das Kapitel »Im Reiche des Liliputaners« in Horváths Roman *Ein Kind unserer Zeit* (Bd. 14, S. 89 f.) sowie Ulrich Bechers (1910–1990) Erinnerungen an den Schriftsteller als »Stammgast in einem Café nahe dem Praterstern, das größtenteils von Liliputanern besucht wurde, solchen, die im Wurstlprater in ›Feigls Monstre-Weltschau‹ auftraten, und ›bürgerlichen‹ Liliputanern, die es ebenso halbbewußt dahin zog, ›unter sich‹ zu sein [. . .]. Ödön, der großgewachsene, trank einzig und allein dort seine Schale Braun, um unter Liliputanern zu weilen wie Gulliver« (Mat. I, S. 90).

Jetzt ist er [. . .] ich nichts mehr: Horváth thematisiert insbesondere am Anfang seiner Stücke gern den »Blick«, um so auf die eher beschränkte Sicht seines Bühnenpersonals zu verweisen (vgl. auch *Geschichten aus dem Wiener Wald*, SBB 26, S. 12).   10.1–6

so lasse mich doch aus: (Österr.) »so lasse mich doch in Ruhe«. Die Szene lässt sich als doppeldeutiges Wortspiel deuten, wie Kurt Bartsch eindrucksvoll belegt: »Kasimir ist eben ent-lassen worden, umgangssprachlich: aus seinem Job geflogen, und: er wird nicht nur beim Fliegen ausge-lassen, sondern auch von Karoline ver-lassen werden« (Bartsch, S. 90 f.).   10.8

Stille.: Eine der wichtigsten Regieanweisungen Horváths, die er in seiner »Gebrauchsanweisung«, d. h. den »praktischen Anweisungen« für die Regie besonders hervorhebt: »Bitte achten Sie genau auf die Pausen im Dialog, die ich mit ›Stille‹ bezeichne – hier kämpft das Bewußtsein oder Unterbewußtsein miteinander, und das muß sichtbar werden« (vgl. Anhang, S. 86,9 ff.). Vgl. zu ihrer dramaturgischen Funktion die Ausführungen von Theo Buck, »Die Stille auf der Bühne«, in: *Recherches Germaniques* 9 (1979), S. 174–185.   10.17

Oberammergau: Durch seine seit 1680 alle zehn Jahre stattfindenden Passionsspiele bekannter Touristenort in Oberbayern.   10.19

Zeppelin: Dieses Motiv lässt sich, zieht man Sigmund Freuds (1856–1939) *Vorlesungen zur Einführung in die Psychoanalyse* (1916/1917) zu Rate, durchaus als Traumsymbol deuten. Dort heißt es in seiner 10. Vorlesung: »Die merkwürdige Eigenschaft des Gliedes, sich gegen die Schwerkraft aufrichten zu können, eine Teilerscheinung der Erektion, führt zur Symboldarstellung durch *Luftballone*, *Flugmaschinen* und neuesten Datums durch das *Zeppelinsche Luftschiff*. Der Traum kennt aber noch eine andere, weit ausdrucksvollere Art, die Erektion zu symbolisieren. Er macht das Geschlechtsglied zum Wesentlichen der ganzen Person und läßt diese selbst *fliegen*. Lassen Sie sich's nicht nahegehen, daß die oft so schönen Flugträume, die wir alle kennen, als Träume von allgemeiner sexueller Erregung, als Erektionsträume gedeutet werden müssen« (Sigmund Freud, *Studienausgabe*, Frankfurt/M. 1969, Bd. 1, S. 164).   10.23

10.27–28 **als tät er auch mitfliegen**: In der österr. und süddt. Umgangssprache wird der Konjunktiv im irrealen Wunschsatz oft mit dem Hilfsverb »tun« statt mit dem Hilfsverb »werden« gebildet (vgl. auch 17,29; 26,4; 43,15; 44,16; 49,8; 73,12).

11.6 **stempeln**: Arbeitslosengeld beziehen. Zum Zeitpunkt der Niederschrift des Stückes lag die Arbeitslosenzahl bei rund sechs Millionen, d. h. ca. 18 % der erwerbsfähigen Bevölkerung.

11.15 **Vielleicht sind wir zu schwer füreinander ––**: Vgl. auch 13,31 f. Einer biographisch orientierten Lesart des Stückes mag diese Charakteristik Kasimirs als Beschreibung einer Seite des Autors gelten, denn Horváth liebte einerseits das Leben sehr und zeigte »sich in gleicher Weise einem maßvollen Genuß des Lebens voll aufgeschlossen, so lebte er jedoch anderseits ›sehr schwer‹, wie sein Bruder Lajos es nannte, war von vielen Stimmungen abhängig und vielen Stimmungsschwankungen unterworfen« (Traugott Krischke).

11.26 *Eismann*: Wolfgang Schober (in: Bartsch (Hg.), 1976, S. 135) sieht im Motiv Eis ein »weiteres Symbol für zwischenmenschliche Kälte«. Karoline beginnt gerade dann Eis zu essen, »als die Kälte in die Beziehung zwischen ihr und Kasimir eindringt«. Daher spannt Schober von diesem Stück einen Bogen zu den Romanen *Jugend ohne Gott*, in dem die Figur T. Eis auch sehr gerne hat (SBB 7, S. 103 f.), sowie *Ein Kind unserer Zeit* mit einem ebenfalls eisessenden Soldaten (Bd. 14, S. 30 f.). Hingegen steht für Hans Joas dieses Motiv »stellvertretend für alles Glück der Welt und täuscht doch gerade über die Bedingungen zu dessen Herstellung hinweg« (Mat. IV, S. 48). Zuletzt mag das Schlecken des Eises auch als »eine von Horváth bewußt eingesetzte Geste der Obszönität« gelten, »was auch durch Schürzingers nachfolgende Sätze belegt wird« (Bd. 5, S. 143), oder ganz allgemein »als einleitendes Element in die Kette der Ersatzbefriedigungen«, die es auf dem Oktoberfest gibt (Haag, S. 157). Neben den fliegenden Eisverkäufern war um 1930 auch ein origineller »Eispalast« auf dem Oktoberfest zu bewundern (vgl. *Das Oktoberfest*, a.a.O., S. 338).

11.28 **Schürzinger**: Horváths Namenswahl mag manchen an einen »Schürzenjäger« erinnern, andere an »Schürzen« und damit an seinen Beruf als »Zuschneider« (S. 13). In letzterem sieht Traugott Krischke im übertragenen Sinn und mundartlich auch den »Zuhälter« (Bd. 4, S. 144).

Verstehens mich?: Wer literarische Vorbilder für Horváths Sze- 12.19
nen sucht, dem bietet sich hier eine Passage aus Johann Nestroys (1801–1862) Posse *Heimliches Geld, heimliche Liebe* (1853) an. Darin spielt neben einer »Leni« v. a. »Kasimir« die Hauptrolle, und dieser versucht einen ähnlichen Sachverhalt so zu erklären: »Mir hat einer g'sagt, der Prozeß des weiblichen Altwerdens hat eine durch das Formelle der sozialen Position bedingte, von dem faktischen Jahresquantum abstrahierende Distinktion.« Die Reaktion darauf ist keineswegs überraschend: »Das versteh' ich nicht!« (Johann Nestroy, *Sämtliche Werke*, hg. v. Fritz Brukner u. Otto Rommel, Wien 1926, Bd. 8, S. 37) Zwar geht es auch in Nestroys Stück um Verhältnisse zwischen ökonomisch ungleichen Partnern, doch die Szenenfolge und das Happy-End nach einer Vielzahl von Intrigen weisen zu große Unterschiede gegenüber Horváths Drama auf, als dass man von einer echten Vorlage sprechen könnte.

Dann läßt die Liebe nach: Vgl. die ähnliche Argumentation 12.23–24
Alfreds in *Geschichten aus dem Wiener Wald*, wenn er Valerie zu erklären versucht: »eine rein menschliche Beziehung wird erst dann echt, wenn man was voneinander hat. Alles andere ist Larifari« (SBB 26, S. 14).

Wenn es dem Manne schlecht geht: Vgl. 22,10. Mit dem Dativ-e 12.27
versucht Horváth Karolines Sprache als gestelzte vorzustellen, die zudem auf vorgefundenes, klischeehaftes Sprachmaterial zurückgreift.

das wertvolle Weib: Horváth evoziert durch diese Wortwahl 12.28
nicht allein die Frage, was den Wert eines Menschen ausmacht, sondern auch jene nach der Rolle der Frau sowie ihrer Stellung innerhalb veränderter gesellschaftlicher Arbeitsverhältnisse. Es darf bezweifelt werden, ob »Weib« um 1930 noch als »Signal für poetische oder gehobene Redeweise« (S. 279) und daher dem »Bildungsjargon« entsprechende Formulierung gelten kann, wie es Johanna Bossinade (»Das Dilemma des wertvollen Weibes. Zu einer Text- und Übersetzungsschwierigkeit in Horváths *Kasimir und Karoline*«, in: *Ars & Ingenium. Studien zum Übersetzen. Festgabe für Franz Stocks*, hg. v. Hans Ester u. a., Amster-

dam 1983, S. 277–300) in ihrer Deutung dieser Stelle nahe legt. Daneben müsste diese Textpassage nicht allein mit Karolines gleicher Argumentation verglichen werden, in der von »einer wertvollen Frau« (S. 22) die Rede ist, sondern mit dem vielfältigen Gebrauch des Wortes, meist männlichen, im ganzen Stück (vgl. die Seiten 16, 18, 24, 43, 55, 68, 70), den Bossinade gänzlich ausblendet.

12.32 **handlesen**: Vgl. zum Motiv der Handlesekunst (Chiromantie), aus den Handlinien den Charakter eines Menschen und dessen Zukunft zu bestimmen, Horváths Stücke *Sladek* (Bd. 2, S. 88) sowie *Geschichten aus dem Wiener Wald* (SBB 26, S. 55).

13.6 **bilden sich gleich soviel ein**: Durch Horváths Wortspiel zum Thema »Bildung« wird aus dieser Einschätzung über Zuschneider später die Tatsache: »Das ist ein gebildeter Mensch. Ein Zuschneider« (S. 23).

13.9 **Schicksalsproblem**: Mit dem Begriff des »Schicksal« verklären Horváths Figuren mitunter ihre wahren Handlungsmotive, vgl. z. B. *Italienische Nacht* (Bd. 3, S. 118), *Geschichten aus dem Wiener Wald* (SBB 26, S. 29) oder im Roman *Der ewige Spießer* der Hinweis auf »ewige Gesetze« (Bd. 12, S. 211).

14.32 **keinen Beamten genommen hab**: Vgl. auch 28,1. Beamte können nicht so ohne weiteres entlassen werden und sind überdies pensionsberechtigt.

15.18 **Achterbahn**: 1908 brachte der Schausteller Carl Gabriel die erste Achterbahn nach München, die als Berg- und Talbahn 1884 auf Coney Island, New York, erstmals bewundert werden konnte. Als reine Zimmermannsarbeit war diese Achterbahn allerdings noch nicht für die Reise bestimmt. 1909 präsentierte Max Stehbeck dann die erste transportable Achterbahn, »Original. amerik. Figur 8 Bahn« genannt. Besonderes Interesse fand auf dem Oktoberfest 1928 die »Gebirgs-Achterbahn« von Josef Ruprecht (vgl. *Das Oktoberfest*, a.a.O., S. 374).

15.21 **Aber jetzt bin ich auf dem Oktoberfest**: Vgl. hierzu auch Horváths prosaische Beschreibung eines Oktoberfestbesuchs im Roman *Sechsunddreißig Stunden* (Bd. 12, S. 34).

15.27 *Glühwürmchen-Suite*: Das »Glühwürmchen-Idyll« von Paul Lincke (1866–1946) aus der Operette *Lysistrata* (1902) gehörte nach Angaben des Bruders Lajos zu Horváths Lieblingsmelodien.

Die Kleinen hängt [. . .] läßt man laufen.: Dt. Sprichwort, das 16.27–28
auf ein Zitat des röm. Philosophen Seneca (4. v. Chr.–65
n. Chr.) zurückgeht: »Sacrilegia minuta puniuntur; magna in
triumphis feruntur« – »Die kleinen Verbrecher werden bestraft,
die großen gefeiert.«

Was ist das Weib?: Vgl. hierzu auch Horváths mehrfachen Hin- 18.25
weis auf das Zitat aus Friedrich Nietzsches (1844–1900) *Also
sprach Zarathustra* (1883–1885), »Das Weib ist ein Rätsel«, in
Geschichten aus dem Wiener Wald (SBB 26, S. 46) sowie in den
Romanen *Der ewige Spießer* (Bd. 12, 225) und *Ein Kind unserer
Zeit* (Bd. 14, 24).

Orion. Mit dem Schwert.: In der Astronomie gilt der Orion als 19.7–8
eines der schönsten Sternbilder zu beiden Seiten des Äquators.
Die dabei in aufsteigender Linie und in gleichen Abständen
nebeneinander sichtbaren drei Sterne werden dabei als Sichel
bezeichnet, woraus Horváth allerdings ein Schwert macht.

ein Mensch neben einem Stern: Horváth verwies des öfteren auf 19.13
die Vergänglichkeit und Nichtigkeit des Menschen mit Blick auf
die Bedeutung der Gestirne, vgl. z. B. in den Stücken *Sladek oder
Die schwarze Armee* (Bd. 2, S. 79), *Italienische Nacht* (Bd. 3, S.
95) *Geschichten aus dem Wiener Wald* (SBB 26, S. 40) sowie *Hin
und Her* (Bd. 7, S. 416 f.).

Masochist: Von dem Wiener Psychiater Richard von Krafft- 21.12
Ebing (1840–1902) in seiner *Psychopathia sexualis* (1886) ge-
prägter Begriff für das Erdulden von Demütigungen, Erniedri-
gungen, Quälereien und Schmerzen zur sexuellen Erregung, der
sich an die damals sehr populären Romane von Leopold von
Sacher-Masoch (1836–1895) anlehnt.

ein anständiger Mensch!: Mit der abstrakten Kategorie eines 21.12–13
»Menschen« lässt Horváth mehrere Figuren argumentieren, um
damit eine beliebte Phrase auszustellen; vgl. z. B. Sladek am
Schluss des gleichnamigen Stückes: »Ich bitte mich als Men-
schen zu betrachten und nicht als Zeit« (Bd. 2, S. 141), oder der
Ausruf des Rittmeisters in *Geschichten aus dem Wiener Wald*:
»Sie sind kein Mensch!« (SBB 26, S. 84).

Toboggan: Eigentlich ein kufenloser Schlitten kanad. Indianer 25.5
und Eskimos; hier jedoch Bezeichnung einer Oktoberfestattrak-
tion. 1906 baute der Badenser Anton Bausch vermutlich den

ersten dt. Toboggan, dessen Vorbild er auf einer Ausstellung in Paris gesehen hatte. Damit zog er zwischen 1910 und 1938 durch verschiedene europ. Städte. »Der Effekt dieser amerikanischen Turmrutschbahn liegt darin, daß die Fahrgäste bei ihren mehr oder weniger geschickten Bemühungen, die Turmplattform zu erreichen, beobachtet werden können« (*Das Oktoberfest*, a.a.O., S. 353).

25.13 **alles viel zu teuer ist**: Vgl. hierzu den Oktoberfestbericht in der *München-Augsburger Abendzeitung* vom 26. September 1931: »Zwar stehen vor den Buden der Hühnerbratereien zahlreiche Interessierte, die stundenlang mit Behagen zusehen, wie die Hühner sich am Spieß drehen und langsam braun werden. Aber diese Zaungäste sind keine Interessenten, denn 4 Mark für ein Hendl zu zahlen ist nur wenigen möglich. Nur dann und wann wird man Zeuge des historischen Augenblicks, daß irgendein ›feiner Kavalier‹ mit Millionärsgeste so einen kostspieligen Vogel ersteht, verfolgt von einem Dutzend neidvoller Blicke derer, die vom Zuschauen satt werden müssen. [. . .] Alles in allem: Ein trauriges Oktoberfest« (Mat. IV, S. 28).

26.8 **Blücher**: Der preuß. Feldmarschall Gebhard Leberecht Fürst Blücher von Wahlstatt (1742–1819), erbitterter Gegner Napoleons (1769–1821), gilt als Held der Freiheitskriege (1813–1818); Preußen, Engländer und Russen gaben ihm den Beinamen »Marschall Vorwärts«.

26.9 **Todsünden**: Nach der Lehre der kath. Kirche charakterisieren drei Merkmale die Todsünde: 1. Versündigung in einer wichtigen Angelegenheit, 2. volle Erkenntnis der Sündhaftigkeit sowie 3. völlige Einwilligung. Vgl. hierzu auch *Geschichten aus dem Wiener Wald* (SBB 26, S. 67).

26.11 **bringt mir kein Brüning um**: Anspielung auf die am 28. Oktober 1930 unter dem dt. Reichskanzler Heinrich Brüning (1885–1970) herausgegebene amtliche Mitteilung: »Bei der großen wirtschaftlichen Not, mit der weiteste Kreise des deutschen Volkes zu kämpfen haben, muß jedes Übermaß an Feiern und Vergnügungen vermieden werden.«

26.13–15 **der Dienstmann neben [. . .] neben dem Arbeiter**: Horváth zitiert hier die von den Nationalsozialisten propagierte Idee der »Volksgemeinschaft«.

Wiesenbier: Starkes, ursprünglich im März gebrautes und über 26.18 den Sommer gelagertes Bier, das schließlich während des Oktoberfestes zum Ausschank kommt (vgl. zur generellen Bedeutung des Bierkonsums, *Das Oktoberfest*, a.a.O., S. 251 ff.).

Das liegt in unserer Natur.: Horváth betont hier die wider- 28.13 sprüchliche Argumentation Schürzingers, der ursprünglich die gesellschaftlichen Verhältnisse, wie etwa die Arbeitslosigkeit, für das konkrete Verhalten von Mann und Frau verantwortlich machte (vgl. S. 12).

Inflation: Gemeint sind die Jahre 1922/23, in denen es durch 28.26 eine Vermehrung der Zahlungsmittel zu einer rapiden Geldentwertung kam. So kostete im Juni 1923 etwa ein Pfund Fleisch 12 000 Mark, Anfang November jedoch 3,2 Bio. Für ein Pfund Zucker stieg der Preis im gleichen Zeitraum von 1 500 Mark auf 250 Mrd.

Kommerzienrat: Titel, der im Kaiserreich angesehenen Män- 29.25 nern aus der Wirtschaft sowie Industriellen verliehen worden war, aber durch Artikel 109 der Weimarer Verfassung außer Kraft gesetzt wurde.

Don Quichotte: Titelheld des Romans *El ingenioso hidalgo* 32.2 *Don Quixote de la Mancha* (1605) von Miguel de Cervantes Saavedra (1547–1616), der als »Ritter von der traurigen Gestalt« seither als Inbegriff eines lächerlich wirkenden Schwärmers gilt, dessen Tatendrang an der Realität scheitert.

Büroangestellte auch nur eine Proletarierin ist: Diese Einsicht 33.22–23 zitierte auch Siegfried Kracauer (1889–1966) in seiner Artikelserie in der *Frankfurter Zeitung* über die Lage der Angestellten in den Zwanzigerjahren, die 1930 als Buch unter dem Titel *Die Angestellten. Aus dem neuen Deutschland* erschien. Für den Soziologen Emil Lederer (1882–1939) war es gleichfalls eine »objektive Tatsache« und damit richtig, »wenn man behauptet, daß die Angestellten das Schicksal des Proletariats teilen«. Vgl. zum Bewußtsein der Angestellten auch Horváths Darstellung im Roman *Der ewige Spießer* (Bd. 12, S. 139).

spielt nun die letzte Rose: Populär wurde »The Last Rose of 34.8 Summer« aus *Irish Melodies* (1808 ff.; dt. *Irische Melodien*, 1873) von Thomas Moore (1779–1852) v. a. durch die Oper *Martha oder Der Markt zu Richmond* (1847) von Friedrich von Flotow (1812–1883).

34.10 *Neuer Schauplatz*: Für eine Strukturanalyse des Stücks ist diese Szene, da sie »in der Mitte der beiden Handlungsstränge« um Kasimir und Karoline liegt, zugleich »eine Parabel für den Menschen als Objekt wirtschaftlicher Spekulationen« (vgl. Volker Sack, *Zeitstück und Zeitroman in der Weimarer Republik. Ödön von Horváth, ›Kasimir und Karoline‹, Irmgard Keun, ›Das kunstseidene Mädchen‹*, Stuttgart 1985, S. 10).

34.11 *Abnormitäten*: Seit in den USA »Freaks«, also Menschen mit körperlichen Missbildungen oder außergewöhnlichem Aussehen, in so genannten Bühnenshows auftraten, war deren Auftritt stets die Sensation des Abends (vgl. die grundlegende Darstellung von Hans Scheugl, *Show Freaks & Monster*, Köln 1974). Nach der ersten Präsentation 1870 zeigte der amerik. Zirkus Barnum & Bailey während einer Europatournee von 1898–1902 in der »größten Schaustellung der Erde« erstmals eine Reihe von »Freaks«. 1926 war es der Schausteller Carl Gabriel, der Massen auf das Oktoberfest lockte, als er das »7. neueste Weltwunder« ankündigte: »die drei dicksten und schwersten Kollosalmädchen der Gegenwart«: Elsa (ca. 380 Pfund), Elvira (420 Pfund) und Bertha (450 Pfund). Zwei Jahre später waren es weniger die Gewichte, die beeindrucken sollten, als vielmehr die Maße, schließlich wurde die bisher größte Abnormitätenschau angekündigt. Zu sehen waren die Riesin »Hanna«, 2,38 m groß, drei »Liliputaner-Prinzen«, der kleinste 56 cm, sowie eine beeindruckende »Bartdame« mit natürlichem grauem Vollbart und schließlich »Lionel, der Löwenmensch«. Vgl. auch Horváths Darstellung verschiedener »Sehenswürdigkeiten« eines Rummelplatzes in seinem letzten Roman *Ein Kind unserer Zeit* (Bd. 14, S. 25). Gegenüber einer Darstellung der »Abnormitäten« wählte er 1927 für seine Szene »Rummelplatz« im Stück *Sladek oder Die schwarze Armee* die bekannten Schauplätze: »*Wachsfiguren, Karussell, Flohzirkus und Akrobaten*« (Bd. 2, S. 86 ff.).

35.7–8 **welch seltsame Menschen auf unserer Erde hausen**: Vgl. zur Faszination des Jahrmarkts Ernst Blochs (1885–1977) Anmerkungen über die »Südsee in Jahrmarkt und Zirkus«, in: Ernst Bloch, *Das Prinzip Hoffnung*. Dritter Teil, Kapitel 28, Frankfurt/M. 1977 (Gesamtausgabe in 16 Bänden), Bd. 5, S. 421 ff.

Juanita, das Gorillamädchen: Eine Attraktion der gleichfalls   35.14
zahlreichen weiblichen »Freaks«, die wegen ihrer außerordent-
lichen Behaarung präsentiert wurden (vgl. zur Geschichte der
Haarmenschen und Bartfrauen, Scheugl, a.a.O., S. 33 ff.). Allerdings greift Horváth hier offensichtlich nicht – ganz im Gegensatz zu vielen anderen Beispielen – auf reale Attraktionen
zurück, in diesem Falle auf »Lionella, das Löwenweib«, das Pen-
dant zu »Lionel, dem Löwenmenschen«; in seinem Roman *Der
ewige Spießer* hatte er »diese Abnormität« (Bd. 12, S. 240) noch
als Schauplatz von Annas Oktoberfestbesuch gewählt. Vgl. auch
den »Steckbrief« mit einer Belohnung von 10 000 Mark für den-
jenigen, »der ein zweites Wesen von genau derselben Körper-
beschaffenheit wie ›Lionella‹ zur Stelle bringt«, in: *175 Jahre
Oktoberfest 1810–1985*, zusammengestellt v. Richard Bauer u.
Fritz Fenzl, München 1985, S. 83.

Bolschewismus: Hier als Synonym für Kommunismus. Als Bol-   36.25
schewiken wurden die Mitglieder des von Wladimir Iljitsch Le-
nin (1870–1924) geführten revolutionären Flügels in der Sozi-
aldemokratischen Arbeiterpartei Russlands bezeichnet, aus der
sich dann die Kommunistische Partei der Sowjetunion entwickelte. Horváth zitiert dieses Schreckbild bereits in seinen *Geschichten aus dem Wiener Wald* (SBB 26, S. 28).

Radetzkymarsch: Nach dem populären österr. Feldmarschall   39.19
Joseph Radetzky (Graf Radetzky von Radetz; 1766–1858) be-
nannter Marsch von Johann Strauß (Vater; 1804–1849). Vgl.
auch *Geschichten aus dem Wiener Wald* (SBB 26, S. 72).

Friedrichshafen: Am nördl. Ufer des Bodensees gelegene Stadt   39.22
mit Sitz der Zeppelinwerft.

Barcarole aus Hoffmanns Erzählungen: Phantastische Oper in   40.19–20
drei Akten von Jacques Offenbach (1819–1880) nach dem
gleichnamigen Schauspiel in fünf Akten von Jules Barbier (1822–
1901) und Michel Carré (1819–1872).

Wagnerbräu: Münchner Privatbrauerei; auf dem Oktoberfest   42.3
haben die Münchner Brauereien meist ihre eigenen Hallen, in
denen nur deren Bier ausgeschenkt werden darf (vgl. *Das Oktoberfest*, a.a.O., S. 287 ff.). 1931 blieben »wegen der unsiche-
ren politischen und wirtschaftlichen Lage« Löwenbräu, Tho-
masbräu, Pschorrbräu und die Franziskaner-Leist-Brauerei dem

Oktoberfest fern; nur Schottenhamel, Augustiner- und Wagnerbräu hatten ihre Hallen aufgebaut« (*175 Jahre Oktoberfest*,
a.a.O., S. 87). Ein Jahr später gab es ebenfalls nur die drei Bier-
hallen, und die schlechten Einnahmen veranlassten die Schausteller zur – erfolglosen – Bitte an den Stadtrat, das Fest um eine
Woche zu verlängern.

42.27 **Finanzminister**: Anspielung auf den Politiker Hermann Dietrich (1879–1954), der in Brünings Kabinett (1930–1932) zunächst Vizekanzler und Wirtschaftsminister und vom 26. Juni
an Finanzminister war.

42.28 **Wer den Schaden hat [. . .] auch den Spott.**: Anspielung auf die
Redewendung »Wer den Schaden hat, braucht für den Spott
nicht zu sorgen«, nach der auf das erlittene Unglück auch noch
die hämischen Bemerkungen folgen.

43.1–2 **Wem nicht zu raten [. . .] nicht zu helfen.**: Redewendung, wonach seine Probleme selber bewältigen müsse, wer von anderen
keinen Rat annehme.

43.5 **Führerschein**: Mit den Führerscheinen A drei und B drei durfte
man Kraftwagen bis zu 2,5 t Eigenwicht und unbegrenztem
Hubraum fahren.

43.20–27 **Ich schieß den Hirsch [. . .] Liebe schon gespürt.**: »Jägers Lie-
beslied« von Franz von Schober (1798–1882) mit einer Melodie
von Franz Schubert (1797–1828).

44.2 **die Liebe**: Vgl. hierzu Mariannes lapidare Frage »Was ist Liebe?« in *Geschichten aus dem Wiener Wald* (SBB 26, S. 22) –
letztlich auch ein zentrales Thema Horváths in einigen seiner
Dramen.

44.4–5 **und sie höret nimmer auf**: Vgl. das Motto des Stücks (S. 7,4),
das Kasimir hier allerdings sarkastisch kommentiert durch den
Zusatz: »solang du nämlich nicht arbeitslos wirst«.

44.9–10 **ein Kapital von rund vier Mark**: Ironische Anspielung auf den
großen Begriff des »Kapitals«, dessen Einsatz einen fulminanten
Gewinn ermöglichen soll, und zugleich Vergleichsgröße zu Karolines Monatsverdienst von 55 Mark (vgl. S. 58).

44.14 **täglich Tausende**: Im Gefolge der Weltwirtschaftskrise stieg die
Zahl der Selbstmorde kontinuierlich an, sodass mit 260 Suiziden
auf eine Million Einwohner Deutschland 1932 deutlich mehr
Selbsttötungen zu verzeichnen hatte als England mit 85, USA
mit 133 und Frankreich mit 155.

das hab ich jetzt direkt im Gefühl: Vgl. hierzu Alfreds fast 45.22–23
gleichlautenden Satz in *Geschichten aus dem Wiener Wald* (SBB
26, S. 40), mit dem er Marianne zu beeindrucken versucht.

Wir sind alles nur Menschen!: Vgl. 21,12. Horváth spielt hier 46.26
einmal mehr auf die Natur des Menschen an, wie er sie bereits in
Geschichten aus dem Wiener Wald im Gespräch zwischen Marianne und Alfred zum Thema machte (SBB 26, S. 39).

Kompressor: Eigentlich ein Verbrennungsmotor. Hier spielt 46.30
Horváth jedoch auf dessen Verwendung in Sportwagen an, weshalb es letztlich um die Frage geht, ob Kasimir stolzer Besitzer
eines solchen ist oder nicht.

Splitter: Anspielung auf die Splitterparteien, d. h. die vielen 48.9
kleinen politischen Gruppen, die sich z. T. von größeren abge-
splittert hatten, sowie die vielen kleinen Parteien bei den Reichs-
tagswahlen vom 6. November 1932, als ein Prozent der Stimmen auf die Deutsche Demokratische Partei (2 Sitze), 0,4 % auf
die Deutsche Bauernpartei (3 Sitze), 1,2 % auf den Christlich-
Sozialen Volksdienst (5 Sitze) und 0, 3 % auf den Landbund (2
Sitze) entfielen.

Rohr im Winde: Vgl. Lk 7,24 und Matthäus 11,7 (»Wolltet ihr 49.12
ein Schilfrohr sehen, das im Wind hin und her schwankt?«).
Horváth benutzte dieses Bild aus der Bibel mehrfach in seinem
Werk; vgl. etwa in *Hin und Her* (Bd. 7, S. 114).

Leergebrannt ist die Stätte.: Horváth lässt hier aus Friedrich 49.17
Schillers (1759–1805) »Das Lied von der Glocke« (1799) zitieren.

Hippodrom: Seit 1902 gab es das »Hypodrom« als Kombina- 50.16
tion von Pferdereitbahn und Gaststätte auf dem Oktoberfest.
Eine der vielen Attraktionen war 1928 »Carl Gabriel's Pracht-
Reitbahn Hippodrom«, das in den folgenden Jahren immer wieder vergrößert wurde. Zuspruch fand es v. a. bei der »Sport- und
eleganten Welt«, die sich bei Thomasbräu-Export-Bier, Wein,
Likör und Kaffee sowie einer ausgewählten Küche über die Reit-
künste auf der 60 m langen Manegebahn amüsierten (*Das Oktoberfest*, a.a.O., S. 336).

Damensattel: Reitsattel für Damen, auf dem die Reiterin so 50.21
sitzt, dass sich beide Beine auf der linken Seite des Pferdes befinden.

51.8–14 *jetzt wird ein altes [. . .] ist zu vernehmen*: Diese Szene lässt an
Franz Kafkas (1883–1924) Kunstreiterin aus seiner Erzählung
»Auf der Galerie« (1919) denken und vielleicht »die Zirkus-
nummer als existenzielles Paradigma« erkennen, letztlich ein »in
der Literatur und Malerei zu Beginn des zwanzigsten Jahrhunderts« häufiges Motiv (Haag, S. 143 f.).

51.19 **Amazone**: Nach der griech. Sage ein kriegerisches Frauenvolk
in Kleinasien, das Männer nur zur Fortpflanzung duldete. Ob
hier die Reiterin dem Bild einer Amazone als einem hübschen
sportlichen Mädchen von knabenhaft schlanker Erscheinung
entsprechen soll oder eher einer betont männlich auftretenden
Frau, mag jede Inszenierung anders entscheiden.

53.8–9 **empfehlen wir uns jetzt auf französisch**: Redensart für heimliches Fortgehen aus einer Gesellschaft, wobei die verschiedenen
Sprachen die Unhöflichkeit dieses Verhaltens jeweils den Fremden zuschreibt, etwa »take French leave« oder »filer à l'anglai-
se«, »andarsene all'inglese« sowie »despedirse a la francesa«.

53.17 **sprichst du spanisch**: Anspielung auf die Redensart »Das
kommt mir spanisch vor«, wonach man das Geschehen nicht
ganz versteht. Das Motiv des Unverständnisses kommt daneben
auch in der Redewendung »Das sind spanische Dörfer für mich«
zum Ausdruck. Was für die Redewendung »sich auf französisch
empfehlen« gilt, trifft auch hier zu: Seltsame Erscheinungen werden den Fremden zugeschrieben.

54.8 **Juden!**: Horváth markiert mit diesem einen Wort den nationa-
listischen Standpunkt des Herrn Speer.

54.11 **Ein politisch Lied ein garstig Lied**: Anspielung auf die Szene »In
Auerbachs Keller« in Johann Wolfgang Goethes (1749–1832)
Drama *Faust* (1790), in der es heißt: »Ein garstig Lied! Pfui! Ein
politisch Lied!«

56.6 **Ludwig dem Fünfzehnten**: Ludwig XV. (1710–1774) erlangte
weniger aufgrund seiner Politik Berühmtheit als vielmehr wegen
seines anrüchigen Lebenswandels und seiner Abhängigkeit von
Mätressen, darunter Madame de Pompadour (1721–1764) und
Madame Dubarry (1743–1793).

58.15 **Fünfundfünfzig Mark**: Vgl. zu diesem Monatsverdienst auch
»Das Märchen vom Fräulein Pollinger« (Bd. 11, S. 124 f.), einen
Text, den Horváth 1930 in seinem Roman *Der ewige Spießer*

abdrucken ließ: »Es war einmal ein Fräulein, das fiel bei den besseren Herren nirgends besonders auf, denn es verdiente monatlich nur hundertzehn Mark und hatte nur eine Durchschnittsfigur und ein Durchschnittsgesicht, nicht unangenehm, aber auch nicht hübsch, nur nett« (Bd. 12, S. 153).

So ändert man sich mit dem Leben.: Zitat, das Kaiser Lothar I.   60.16–17
(795–855) zugeschrieben wird, und dies in zweifacher Weise: »Omnia mutantur, nos et mutamur in illis« – »Alles ändert sich, und wir ändern uns mit« oder »Tempora mutantur, nos et mutamur in illis« – »Die Zeiten ändern sich und wir uns mit ihnen«. Vgl. hierzu neben dem Motto des zweiten Teils des Romans *Der ewige Spießer* (Bd. 12, S. 232) auch die *Geschichten aus dem Wiener Wald* (SBB 26, S. 100), in denen der gleiche Gedanke mit einem Zitat aus Friedrich Nietzsches Band *Jenseits von Gut und Böse. Vorspiel einer Philosophie der Zukunft* (1886) heraufbeschworen wird.

Revolution: Horváth relativiert das Bild einer grundlegenden   60.22
Veränderung der bestehenden gesellschaftlichen Verhältnisse, indem er Erna sich die Revolution zwar einerseits ausmalen lässt, andererseits aber gerade ihre Art zu »sehen« thematisiert, etwa mit ihren Worten: »Heute sehe ich so schlecht« (S. 60).

Siegestor: Wahrzeichen Münchens am Ende der Ludwigstraße.   60.23
Diese Nachbildung des Konstantinbogens in Rom wurde von Friedrich von Gärtner (1792–1847) im Jahr 1843 begonnen und von Eduard Metzger (1807–1894) sieben Jahre später vollendet.

1919: Horváth spielt mit diesem Datum auf die gewaltsame   60.31
Beendigung der Räteherrschaft in München im Mai 1919 durch Regierungstruppen an, die München eroberten und jeden, der bewaffnet angetroffen wurde, standrechtlich erschossen.

Der Mensch ist [. . .] Produkt seiner Umgebung: Horváth lässt   61.27–28
seine Figuren stets vorgefundenes Gedankenmaterial zitieren, so hier einen grundlegenden Gedanken der Marx'schen Gesellschaftstheorie, wonach der Mensch als »gesellschaftliches Wesen« begriffen werden müsse, insofern er von den gesellschaftlichen Verhältnissen abhängig ist und diese seine Verhaltensweisen bestimmen. Kasimir kann allerdings keineswegs als »Marxist« gelten, denn bereits ein gutes Dutzend Szenen später sind ihm »die Menschen halt wilde Tiere« (S. 67).

61.29–31 **Buch heraus [. . .]** »Der erotische Komplex«: In einer früheren Fassung nennt Horváth noch die einzelnen Titel: »Wer bist du Weib? Verbrechen und Prostitution. Das lasterhafte Weib. Sklavin und Herrin« (Bd. 5, S. 56). Dabei handelt es sich vermutlich um folgende Bücher: Bernhard A. Bauer, *Wie bist Du, Weib?*, Wien 1923; Cesare Lombroso/Guglielmo Ferrero, *Das Weib als Verbrecherin und Prostituierte*, Leipzig 1894; *Das lasterhafte Weib. Bekenntnisse und Bilddokumente zu den Steigerungen und Aberrationen im weiblichen Triebleben. Psychologie und Pathologie der sexuellen Ab- und Irrwege des Weibes*. Hg. v. Gräfin Agnes Eszterházy, Wien 1930. Für den ersten Titel könnte Horváth auf die umfangreiche Studie von Paul Englisch, *Geschichte der erotischen Literatur*, Stuttgart 1927, zurückgegriffen haben, denn daraus zitiert er auch in seinem ersten Roman *Sechsunddreißig Stunden* (vgl. Bd. 12, S. 55).

62.17 **mit Ihrem toten Bruder**: Vgl. zur Symbolik des Todesmotivs in diesem Stück Herbert Gamper, »Die Zeichen des Todes und des Lebens. Zu bisher kaum beachteten Konstruktionselementen in Horváths vier ›Fräuleinstücken‹«, in: *Theater heute* 15 (1974), H. 3, S. 1–6.

64.11 **Austro-Daimler**: Bezeichnung für ein in Wien gebautes, viertüriges Luxuskabriolett der 1890 in Berlin gegründeten Daimler Motorengesellschaft, die sich 1926 mit der 1899 in Mannheim gegründeten Firma Benz & Co. zusammengeschlossen hatte.

66.14–15 **Eigentlich haben wir [. . .] Altötting fahren wollen**: Vgl. hierzu die Erzählung des »Fräulein« in *Sladek oder Die schwarze Armee* (Bd. 2, S. 29).

67.1–2 **Oktoberfestbesucher mit verbundenen Köpfen und Gliedmaßen**: Für Horváth stellen missglückte Feste ein zentrales Motiv dar, das sich auch in den beiden Volksstücken *Geschichten aus dem Wiener Wald* und *Italienische Nacht* findet. Vgl. hierzu Ingrid Haag, »Ödön von Horváth und die ›monströse Idylle‹«, in: *Recherches Germaniques* 6 (1976), S. 152–168.

67.16–17 **Die Menschen sind halt wilde Tiere.**: Vgl. S. 61 oder Elisabeths Argumentation in *Glaube Liebe Hoffnung* (Bd. 6, S. 121) sowie Herbert Gampers instruktive Ausführungen zur Stuttgarter Inszenierung von *Geschichten aus dem Wiener Wald* im Jahre 1975: »›Sinds nicht tierisch?‹ Einige der vorbereitenden Überlegungen zum Stück«, in: Ödön von Horváth. *Geschichten aus dem Wiener Wald.* Programmbuch Nr. 7. Württembergische Staatstheater Stuttgart, Stuttgart 1975, S. 8–70. Wie bereits in *Geschichten aus dem Wiener Wald* (SBB 26, S. 79) lässt sich dieses Argument auch als Anspielung auf die Abstammungslehre des franz. Naturforschers Jean Baptiste Antoine Pierre de Monet de Lamarck (1744–1829) verstehen, nach der sich alle Lebewesen aus einer gemeinsamen Urform herausgebildet haben, wobei neue Arten aufgrund einer durch Anpassung bewirkten Veränderung erblicher Merkmale entstehen.

Casanova: Nach dem ital. Abenteurer und Schriftsteller Gia- 67.21
como Girolamo Casanova de Seingalt (1725–1798), der nach den Beschreibungen seiner erotischen Abenteuer in den Memoiren *Histoire de ma vie* (1790 ff.) als Inbegriff des Verführers, Frauenhelden und maßlosen Liebhabers gilt. Vgl. hierzu auch *Geschichten aus dem Wiener Wald* (SBB 26, S. 44).

Der Arzt: Horváth hat bei dieser Szene womöglich sowohl auf 68.2
seine eigenen Erfahrungen während einer Versammlungsschlacht zwischen Sozialdemokraten und Nationalsozialisten in der Murnauer Gaststätte »Kirchmeir« am 1. Februar 1931 zurückgegriffen (vgl. SBB 7, S. 158 f.) als auch auf den umfangreichen Bericht am folgenden Tag im *Murnauer Tagblatt* (vgl. Mat. V, S. 109).

Herr Nachttopf!: Indem Karoline den gleichen Ausdruck wie 69.27–28
die Prostituierten Elli (S. 26) und Maria (S. 69) verwendet, kommentiert Horváth hier indirekt ihr Verhalten als Prostitution.

Ausstellung: Westl. der Theresienwiese befindet sich ein großer 70.7
Ausstellungspark, auf dem seit 1908 regelmäßig umfangreiche Themenausstellungen stattfinden.

Tuberkulose: Eine der weitverbreitetsten Infektionskrankhei- 71.17
ten, die aufgrund der unmittelbaren Ansteckungsgefahr Anfang des Jahrhunderts oft noch tödlich wirkte und deswegen zahlreiche gesetzliche Maßnahmen erforderte.

Ludwig Reitmeier: Horváth greift auf das Motiv »Pferd« nicht 73.15
nur innerhalb des Bühnengeschehens zurück, vgl. die Szene im »Hippodrom« (S. 50 ff.), sondern scheint daran auch für die Namensgebung seiner Figuren Gefallen gefunden zu haben, sollte sein erster Roman doch den Titel »Herr Reithofer wird selbstlos« (Bd. 12, S. 317) tragen.

75.8–9 **Man hat halt [. . .] Sehnsucht in sich**: Das Motiv, dass Menschen ihrem Glück nachzujagen versuchen, sollte auch das Thema der Fragment gebliebenen Revue »Magazin des Glücks« (GW 1970, Bd. IV, S. 604–628) sein.

75.13–14 *mit einem Luftballon an einer Schnur*: Mit diesem Bild markiert Horváth die Desillusionierung Karolines, die zu Beginn des Stückes (S. 10) mit Kasimir noch im Zeppelin fliegen wollte und sich nun mit Schürzingers Luftballon zufrieden geben muss.

76.3 **Coué**: Émile Coué (1857–1926), franz. Apotheker, begründete um 1910 ein der Autosuggestion verwandtes Heilverfahren, den Couéismus, wonach sich Kranke einer schnellen Genesung erfreuen, wenn sie morgens und abends 20-mal den Satz wiederholen: »Mit jedem Tag geht es mir in jeder Hinsicht immer besser und besser.« Seine Hauptschrift, 1913 verfasst, erschien 1925 auf deutsch unter dem Titel *Die Selbstbemeisterung durch bewußte Autosuggestion.* Auch in seiner Posse *Rund um den Kongreß* lässt Horváth Coué zitieren (Bd. 1, S. 217).

76.12 **einen Menschen**: Vgl. Horváths wiederholter Rekurs auf diese allgemeine und abstrakte Kategorie, der sich wie ein roter Faden durch sein Werk zieht (vgl. auch Erl. zu 21,12).

76.16 **Träume sind Schäume.**: Redensart, nach der geträumte Dinge zumeist nicht der Realität entsprechen.

76.22 **Nichts.**: Wer Gefallen daran findet, »andere Möglichkeiten des Stückschlusses durchzuspielen, um diesen zu verstehen«, findet bei Volker Sack, a.a.O., S. 18, drei Angebote.

76.25 *singt leise*: Einmal mehr zeigt sich die Bedeutung der Musik für dieses Stück, die Hellmuth Karasek so charakterisierte: »Nur noch wenn Horváths Menschen singen, können sie ihre Illusionen für einen Augenblick ganz glauben. In die Musik findet die kollektivste Vertagung statt. Auch das hatte eine Zukunft, die der Faschismus organisieren und ausbeuten konnte. Wo gesungen wurde, konnte er sich niederlassen, konnte die Leute in die Bewußtlosigkeit einer Gemeinschaft reißen. Die Lieder sind bei Horváth die letzten Bruchstücke einer Gemeinsamkeit. [. . .] Auch privat ist das Singen die Illusion, daß man Gefühle füreinander hat« (Mat. IV, S. 69). Und wenn sich Kasimir und Erna eigentlich nichts mehr zu sagen haben, fängt Erna zu singen an, und »Kasimir singt allmählich mit«.

Und blühen einmal die Rosen: Horváth nutzt wie bereits in 76.27 *Geschichten aus dem Wiener Wald* eine Melodie – dort den Walzer, hier das irische Lied –, die sich jeweils leitmotivisch durch das ganze Stück zieht, um damit einmal mehr das Bewusstsein seiner Figuren zu charakterisieren. Mit diesem Ende macht er deutlich: Das Kleinbürgerliche setzt sich gegenüber dem angedeuteten Proletarischen durch. »*Kasimir und Karoline* endet traurig, wiewohl zwei Paare zueinander finden« (Bartsch, S. 93).

Einen einzigen Mai: Wie bei anderen Stücken Horváths, so gibt 77.5 es auch für dieses Stück eine »Version«, die moralisch endet, vgl. Kurzenberger, S. 109.

Suhrkamp BasisBibliothek
Text und Kommentar in einem Band

In der *Suhrkamp BasisBibliothek* erscheinen literarische
Hauptwerke aller Epochen und Gattungen als Arbeitstexte
für Schule und Studium. Sie bietet die besten verfügbaren
Texte aus den großen Editionen des Suhrkamp Verlages, des
Insel Verlages und des Deutschen Klassiker Verlages, ergänzt
durch anschaulich geschriebene Kommentare.

Jurek Becker. Jakob der Lügner. Kommentar: Thomas Kraft.
SBB 15. 351 Seiten

Thomas Bernhard. Erzählungen. Kommentar: Hans Höller.
SBB 23. 200 Seiten

Bertolt Brecht. Leben des Galilei. Kommentar: Dieter
Wöhrle. SBB 1. 191 Seiten

Bertolt Brecht. Der gute Mensch von Sezuan. Kommentar:
Wolfgang Jeske. SBB 25. 200 Seiten

Bertolt Brecht. Mutter Courage. Kommentar: Wolfgang
Jeske. SBB 11. 185 Seiten

Georg Büchner. Lenz. Kommentar: Burghard Dedner.
SBB 4. 155 Seiten

Deutsche Erzählungen des 20. Jahrhunderts. Kommentar:
Rolf Kauffeldt. SBB 20. 250 Seiten

Annette von Droste-Hülshoff. Die Judenbuche. Kommentar: Christian Begemann. SBB 14. 136 Seiten

NF 279/1/4.01

Max Frisch. Andorra. Kommentar: Peter Michalzik.
SBB 8. 180 Seiten

Max Frisch. Biedermann und die Brandstifter. Kommentar:
Heribert Kuhn. SBB 24. 150 Seiten

Max Frisch. Homo faber. Kommentar: Walter Schmitz.
SBB 3. 301 Seiten

Johann Wolfgang Goethe. Götz von Berlichingen. Kommentar: Wilhelm Große. SBB 27. 200 Seiten

Johann Wolfgang Goethe. Die Leiden des jungen Werthers.
Kommentar: Wilhelm Große. SBB 5. 222 Seiten

Grimms Märchen. Kommentar: Heinz Rölleke.
SBB 6. 136 Seiten

Hermann Hesse. Demian. Kommentar: Heribert Kuhn.
SBB 16. 240 Seiten

Hermann Hesse. Siddhartha. Kommentar: Heribert Kuhn.
SBB 2. 192 Seiten

Hermann Hesse. Der Steppenwolf. Kommentar: Heribert
Kuhn. SBB 12. 306 Seiten

E. T. A. Hoffmann. Das Fräulein von Scuderi. Kommentar:
Barbara von Korff-Schmising. SBB 22. 150 Seiten

Ödön von Horváth. Geschichten aus dem Wiener Wald.
Kommentar: Dieter Wöhrle. SBB 26. 160 Seiten

Ödön von Horváth. Jugend ohne Gott. Kommentar:
Elisabeth Tworek. SBB 7. 210 Seiten

NF 279/3/4.01